DELLY

L'héritier des Ducs de Sailles

Roman

ÉDITIONS DU DAUPHIN
43, rue de la Tombe-Issoire
75014 PARIS

PREMIERE PARTIE

LES MYSTERES DU CHATEAU NOIR

I

Appréhensions maternelles

Le soleil s'abaissait sur les sommets qu'il teintait de pourpre pâle, l'ombre envahissait la vallée et venait rafraîchir la petite ville brûlée tout le jour par un ardent soleil de fin d'août.

Dans son cabinet de travail assombri par les volets clos, M. des Landies, le substitut du procureur de la République de Virènes, venait d'achever sa tâche du jour. Avec un soupir de soulagement, il se levait en essuyant son front mouillé. Cela fait, il alla vers la fenêtre, ouvrit les volets et se pencha au dehors. Devant lui s'étendait un jardin extrêmement ombreux. Non loin de la maison était assise une jeune femme brune et fine, qui cousait activement, non sans jeter de fréquents regards sur le tout petit bébé endormi près d'elle dans un berceau d'osier... Elle leva vivement les yeux au bruit des volets frappant le mur.

— Ah ! tu as fini, Lucien ! Viens vite ici, il fait délicieux. Veux-tu une limonade ?

— Je ne refuse pas, ma petite Madeleine. Mais je croyais que Mme de Vaulan devait venir passer l'après-midi avec toi ?

— En effet, et je me demande ce qui a pu l'en empêcher. Elle n'a pas mis les pieds dans son jardin aujourd'hui.

En disant ces mots, Mme des Landies se levait et jetait les yeux vers l'enclos voisin, séparé du sien seulement par une haie au milieu de laquelle avait été disposée une barrière.

Elle eut une exclamation de plaisir en voyant apparaître, au seuil de la petite maison blanche, sœur jumelle de celle du substitut, une grande jeune femme blonde, sévèrement vêtue de noir, qui tenait par la main un tout petit garçon aux longues boucles d'or et au teint rosé.

— Enfin, chère madame ! Je n'osais plus espérer vous voir aujourd'hui.

Tout en parlant, elle s'avançait et ouvrait la barrière. Mme de Vaulan lui tendit une main un peu brûlante et fébrile.

— Pardonnez-moi de n'être pas venue vous prévenir. Je ne sais à quoi j'ai pensé, vraiment.

Son beau visage délicat, un peu pâle toujours, portait la trace d'une pénible préoccupation.

— Mais cela n'a aucune importance. Nous n'avons pas coutume de nous gêner, entre voisines, dit vivement Mme des Landies. Bonjour, petit Ghislain.

Elle enleva l'enfant entre ses bras et l'embrassa avec tendresse. M. des Landies avait disparu de sa fenêtre. Quelques instants plus tard, il arrivait dans le jardin et venait saluer Mme de Vaulan, déjà assise près de sa femme.

Cette jeune femme avait perdu deux ans auparavant son mari, le comte de Vaulan-Mornelles, officier de cavalerie. Peu fortunée, elle avait quitté Pau où le lieutenant de Vaulan se trouvait en garnison au moment de sa mort, et était venue s'installer dans cette petite ville pyrénéenne où la vie matérielle était plus facile. Une communauté de goûts, de sentiments, de convictions religieuses l'avait vite rapprochée de ses voisins, les des Landies. Le substitut descendait d'une antique famille de magistrats. Ses ancêtres, à part quelques rares vocations ecclésiastiques et militaires, avaient tous porté la toge. Un de ses oncles se trouvait encore premier président à Clermont, l'autre procureur général à Lille. Mais il savait qu'il n'atteindrait jamais à ces sommets. Déjà, ses opinions religieuses bien connues l'avaient fait reléguer dans cette petite ville, et peut-être une disgrâce plus éclatante l'atteindrait-elle quelque jour.

Mme des Landies avait été ravie de trouver en Mme de Vaulan une relation tout à fait selon ses goûts. La jeune veuve extrêmement distinguée, remarquablement jolie, était en outre douée d'une intelligence cultivée, d'un esprit sérieux et d'une grande délicatesse de sentiments.

Assez réservée, elle parlait fort peu d'elle-même
ou de son mari, mais Mme des Landies avait
compris que la mort du jeune officier laissait
au cœur de sa veuve une plaie toujours sai-
gnante.

Décidément, aujourd'hui, une préoccupation
absorbante dominait Mme de Vaulan. Elle répondait machinalement aux paroles de ses voisins, ses yeux se portaient sans cesse, tristes
et anxieux, sur le petit Ghislain qui jouait
dans l'allée, tout près d'elle.

La jeune bonne de Mme de Landies apporta
la limonade et une assiette de pâtisseries. Mme
de Vaulan refusa de rien prendre, en disant
qu'elle allait se retirer pour se rendre à l'église
avant la fermeture des portes.

— Puis-je vous demander de garder mon petit
Ghislain ? Je serai fort peu de temps. Mais j'ai
besoin de prier.

Une anxiété profonde passait dans sa voix
douce, dans ses grands yeux bruns superbes sous
leur longue frange de cils d'or. Et tout à coup,
elle se pencha et posa sa main toujours brûlante
sur celle de Mme des Landies.

— Pourquoi ne vous ferais-je pas part de ce
qui m'arrive ? Vous êtes des amis sûrs, et je
suis si isolée, si inexpérimentée aussi !

— Parlez, chère madame, nous sommes tout
à votre disposition, dit Mme des Landies. J'avais
bien remarqué votre préoccupation, mais je n'aurais osé vous interroger.

— Je suis de nature peu communicative, confessa la jeune veuve. Ceci soit dit pour vous expliquer comment je ne vous ai pas parlé encore de la famille de mon cher mari. Le comte Renaud de Vaulan-Mornelles était le petit-cousin de Renaud de Mornelles, duc de Sailles. Il appartenait à une branche cadette de cette illustre maison, et, orphelin dès son jeune âge, avait été élevé par le duc, son parrain, en même temps que le fils de celui-ci. Mais tous rapports furent rompus entre eux lorsque Renaud refusa d'épouser une jeune fille de grande race, extrêmement riche, que voulait lui imposer son parent, et déclara à celui-ci qu'il deviendrait l'époux d'Antoinette d'Erques, la fille de son colonel, qui ne lui apportait que la dot réglementaire et dont la famille ne pouvait prétendre à l'illustration de Mlle de Tromont. Antoinette, c'était moi. Nous nous aimions tant ! Il était si bon, mon Renaud !

Des larmes jaillirent sous les cils de la jeune femme.

Mme des Landies lui serra affectueusement la main, tandis que le substitut tourmentait sa moustache pour dissimuler son émotion.

— Etant donné cette brouille absolue et l'absence du moindre témoignage de sympathie à la mort de mon mari, vous concevez ma stupeur en recevant ce matin une lettre du duc de Sailles. Successivement sont morts son fils, sa bru, l'aîné de ses petits-fils ; le second, un bébé de dix-huit mois, vient de périr par accident. Ghislain se trouve maintenant son plus proche parent. Et il m'informe, en termes froids, mais très corrects, qu'il est résolu à oublier le profond dissentiment créé par le refus de son neveu et à faire de mon fils l'héritier de son titre et de sa fortune, à la condition que nous venions vivre près de lui, à son château de Sailles, en Périgord, où le futur duc sera élevé sous ses yeux.

— Mais c'est parfait, cela ! s'écria M. des Landies. Voilà un superbe avenir pour votre petit Ghislain ! Je ne me doutais pas qu'il fût d'aussi illustre race. Ce duc de Sailles est-il très riche ?

— Immensément, je crois. Mais je sais, par mon mari, qu'il est de caractère orgueilleux, original et autoritaire ; très gentilhomme, toutefois, généreux par accès, quelque peu misanthrope. Je redoute, avec une telle nature, des complications.

— Est-il veuf ?

— Oui, il a été marié deux fois. De sa seconde femme, fille d'un Hollandais et d'une Française alliée à la famille de Mornelles, il n'a pas eu d'enfants. Cette dame, qui était veuve elle-même, avait une fille mariée à un Hollandais, le baron Van Hottem, établi à Java. Un peu après que sa mère fut devenue duchesse de Sailles, cette Mme Van Hottem perdit son mari et revint en France avec son fils. Presque ruinée, elle fut généreusement accueillie par son beau-père et depuis n'a plus quitté son toit. De ce fait encore, il peut survenir bien des ennuis. Et puis, si ce parent inconnu veut élever mon Ghislain dans des principes contraires à ceux de son père, aux miens ?

— Mais, en la circonstance, vous n'abdiquez aucunement vos droits, observa Mme des Landies. Vous gardez toujours la liberté de vous retirer avec l'enfant, soit que votre autorité maternelle se trouve contestée, soit par suite du heurt avec des caractères difficiles, ou pour toute autre raison qui peut se présenter. Il ne vous coûte rien d'essayer, me semble-t-il, sur-tout devant un tel avenir offert à l'enfant.

— Oui, raisonnablement, je dois accepter. Mais je ne puis vous dire à quel point cette résolution me coûte à prendre ! Peut-être dois-je attribuer cette répugnance au fait que le duc de Sailles se montra si dur pour Renaud, jusque-là très aimé de lui, et c'est à cause de moi que le dissenti-ment s'éleva et subsista entre eux.

— Mais son acte prouve qu'il veut tout ou-blier, madame. Et qui sait si vous ne pourrez pas faire vous-même quelque bien à ce vieillard privé de tous ses proches, probablement triste, malheureux !

— Oui, vous avez raison. Je cois que je ré-pondrai par une acceptation. Mais combien il me coûte de m'en aller dans cet inconnu ! mur-

mura-t-elle en froissant inconsciemment ses
mains frêles sur sa jupe de deuil.

Dans son berceau, le bébé ouvrait les yeux
— de très grands yeux bleus qui occupaient une
place très importante dans ce petit visage. Mme
des Landies le prit sur ses genoux, et aussitôt
Ghislain vint couvrir de baisers ses petites mains
potelées.

— Elle grandit beaucoup, n'est-ce pas, madame ? Et comme elle rit ! Oh ! voyez comme
elle rit gentiment ! s'écria le petit garçon avec
enthousiame.

— Ghislain est toujours en admiration devant
notre Noella, dit en riant le substitut.

— Elle est si mignonne, votre petite chérie !
répliqua Mme de Vaulan en se penchant pour
embrasser le bébé qui multipliait ses risettes à
Ghislain ravi. Elle se fortifie étonnamment depuis ce dernier mois, en vérité !

— Je puis vous dire la même chose de Ghislain. C'est un enfant superbe, sans aucune flat-
terie de ma part. Quel beau petit duc il fera !

Une ombre voila les yeux bruns de la jeune
veuve, et sa voix un peu tremblante murmura :

— Les huit fleurons de sa couronne seront
peut-être lourds à porter pour sa jeune tête.
J'aimerais mieux pour lui, mon petit bien-
aimé, un sort plus modeste. Mais que la volonté de Dieu soit faite !

II

Le Château Noir

Mme de Vaulan se donna trois jours de réflexion et de prière, et, ce laps de temps écoulé, ce fut une acceptation qui partit pour le château de Sailles. Quinze jours plus tard, la jeune femme quittait la petite maison blanche où elle avait vécu deux années, sinon heureuse, à cause du chagrin cruel qui ne devait jamais disparaître, du moins paisible dans les joies douces de son amour maternel et dans la satisfaction d'une amitié grandissante avec ses excellents voisins.

Des larmes coulèrent de part et d'autre, car les deux jeunes femmes s'étaient sincèrement attachées l'une à l'autre. Et Ghislain se mit à sangloter en embrassant pour la dernière fois la petite Noella, que sa mère avait emmenée à la gare.

Comme s'il eût compris, le bébé commença à pleurer aussi en crispant ses petits poings.

— Vous allez manquer à ma Noellette, mon pauvre Ghislain ! dit Mme des Landies tout en berçant doucement l'enfant pour la calmer. Elle vous connaissait déjà si bien !

— Mais je reviendrai ! N'est-ce pas, maman, que nous reviendrons voir Mme des Landies et Noella ? s'écria Ghislain.

Mme de Vaulan murmura :

— Je ne sais... je l'espère...

— Mais j'y compte absolument ! répliqua avec vivacité Mme des Landies. Le Périgord et le Béarn sont assez proches pour que vous fassiez souvent ce petit voyage. Votre parent ne vous en empêchera pas, j'imagine ?

— Le sais-je ! dit la jeune veuve d'une voix étouffée. D'étranges appréhensions m'oppressent, je ne puis les chasser malgré tous mes efforts.

— C'est une sensation nerveuse, chère madame, soyez-en persuadée. Vous verrez que tout se passera admirablement, que le duc de Sailles va devenir fou de son charmant petit héritier, et qu'il appréciera bien vite les nombreuses qualités de la comtesse de Vaulan. Mais voici le train, je crois, cet affreux train qui va nous séparer !

Le substitut, s'étant occupé des bagages de la voyageuse, revenait en ce moment, le bulletin à la main. Sa femme et lui installèrent la jeune veuve et Ghislain dans un compartiment de secondes et restèrent sur le quai jusqu'au moment où, la voie faisant une courbe, ils ne virent plus le pâle visage de Mme de Vaulan ni celui de Ghislain tout marbré de pleurs.

Le voyage qu'avait à accomplir Mme de Vaulan
se trouvait relativement long, par suite de changements de trains et d'attente indéfinie dans de
petites gares mal desservies. Et cependant, elle
eût souhaité le voir durer bien plus encore. La
seule perspective de l'arrivée lui serrait étrangement le cœur. Pourtant, le but approchait.
Voici qu'elle apercevait les premières maisons
de Saint-Pierre-de-Sailles, le village le plus voisin du château.

Le train s'arrêta à la petite gare. Mme de
Vaulan et Ghislain descendirent, et la jeune
femme jeta un coup d'œil autour d'elle. Il n'y
avait personne d'autre que le chef de gare et
un homme d'équipe. La jeune femme tendit au
premier ses billets et sortit de la gare.

Sur la petite place plantée d'ormes, deux
carrioles, et c'était tout. Vraisemblablement, le
châtelain de Sailles, bien que prévenu, n'avait
envoyé personne au-devant des voyageurs. Ce
manquement à la plus élémentaire politesse n'é-
tait pas encourageant. Et qu'allait-elle faire,
si le château était éloigné ?

En se détournant, elle vit non loin d'elle le
chef de gare qui la regardait avec surprise. Elle
s'avança vers lui.

— Monsieur, auriez-vous la complaisance de
me dire à quelle distance d'ici se trouve le château de Sailles ?

— Il faut bien compter six bons kilomètres,
madame.

— Six kilomètres ! Ne pourrais-je trouver un véhicule pour m'y rendre ?

— Hum ! je ne vois pas !... à moins que vous ne vous contentiez d'une carriole, madame ? Voilà le père Midon qui acceptera bien de vous laisser en passant au château.

— Oui, oui, je m'en contenterai certainement.

Le chef de gare fit quelque pas vers un gros paysan rougeaud qui sortait du petit cabaret bâti sur le côté de la place.

— Eh ! père Midon, voulez-vous emmener dans votre carriole ces voyageurs qui vont au Château noir ?

— Tout de même, dit le fermier en soulevant poliment son vieux chapeau. Mais, dame, ce n'est pas doux.

Il s'interrompit et prêta l'oreille à un roulement de voiture. Au détour de la place apparut un landau superbement attelé, sur le siège duquel se tenaient un cocher et un valet de pied en livrée bleu sombre à parements blancs.

— L'équipage de Sailles ! en tenue de gala ! murmura le chef de gare d'un ton stupéfié.

La voiture, après une courbe impeccable, s'arrêta devant la gare. Le valet de pied sauta à terre, jeta un coup d'œil autour de lui et s'avança vers Mme de Vaulan.

— Madame la comtesse de Vaulan-Mornelles ? interrogea-t-il respectueusement.

Et sur la réponse affirmative de la jeune femme, il reprit :

— Madame la comtesse voudra bien excuser notre retard. Nous n'avons pas été prévenus assez tôt.

Les voyageurs s'installèrent et l'équipage reprit la route du château.

— Oh ! maman, quelle belle voiture ! dit Ghislain en passant sa petite main sur l'étoffe soyeuse des coussins. Et puis, il y a une couronne sur la portière, vous avez vu, maman ?

Elle lui répondit vaguement, tout en caressant ses boucles blondes. Maintenant, elle se sentait un peu soulagée en constatant que le manque de politesse qui l'avait blessée et inquiétée n'existait réellement pas. La route montait fort sensiblement. De chaque côté s'étendaient des bois de chênes coupés d'amoncellements granitiques. Et tout à coup, au tournant d'une pente courte, mais extrêmement raide, les voyageurs virent se dresser, bâti sur le roc, un château féodal remarquablement conservé, dont les sombres murailles justifiaient le nom de « château noir » donné par le chef de gare. Malgré le doux soleil d'une belle fin de journée automnale qui dorait les vieilles tours, cette antique demeure avait un aspect austère, presque rébarbatif. La voiture vint s'arrêter devant le pont de pierre qui remplaçait le pont-levis jadis jeté sur les fossés profonds. Les voyageurs descendirent et entrèrent sous une haute voûte, puis dans la salle des Gardes, de dimensions immenses.

Là étaient rangés une dizaine de domestiques. Et, par une des larges portes ouvrant sur cette salle, apparut une jeune femme grande et forte, vêtue de soie noire. Ses cheveux d'un blond pâle, coiffés en bandeaux, encadraient un visage régulier, réellement beau, bien que légèrement empâté par un naissant embonpoint, et doué du plus beau ton rose et blanc qu'il fût possible de voir. Cette inconnue tenait par la main un petit garçon malingre, à l'air maussade. Elle s'avança vers Mme de Vaulan et dit d'une voix douce et froide, en s'inclinant légèrement :

— Le duc de Sailles m'a chargée de vous souhaiter la bienvenue dès le seuil de sa demeure. Permettez-moi de me présenter : je suis sa belle-fille, la baronne Van Hottem.

Tout en disant ces mots, elle enveloppait d'un regard rapide la nouvelle venue, et surtout Ghislain, un peu désorienté et intimidé.

Mme de Vaulan répondit quelques mots aimables, puis, sur un signe de la baronne, un domestique s'avança.

— Antoine va vous conduire près du duc de Sailles, madame. Mon beau-père souhaite vous connaître dès maintenant.

Les voyageurs suivirent le domestique le long d'immenses couloirs dallés jusqu'à une porte à laquelle Antoine frappa. Une voix brève répondit :

— Entrez !

Le domestique ouvrit doucement les deux

battants de la porte et s'effaça pour laisser
passer la jeune femme et son fils. Ceux-ci
virent devant eux une vaste pièce lambrissée,
garnie de superbes meubles anciens. Dans la
profonde embrasure d'une fenêtre, un homme
aux cheveux blancs était assis. Mme de Vaulan
et Ghislain se sentirent subitement enveloppés
d'un regard scrutateur, par les yeux sombres
qui brillaient au milieu de ce visage jauni et
profondément creusé de rides.

Le duc se leva lentement. Il était de petite
taille, et courbé encore par les années. Malgré
cela il parut singulièrement imposant à la jeune
femme anxieuse de l'accueil qui lui serait fait.

Elle s'avança pourtant, tandis que lui-même
faisait quelques pas ; ils échangèrent un céré-
monieux salut.

— Ma cousine, permettez-moi de vous souhaiter la bienvenue dans cette demeure. J'ose
espérer que vous voudrez bien la considérer
comme la vôtre.

Le ton était des plus courtois, presque bien-
veillant, et le cœur de Mme de Vaulan s'allégea
légèrement. Elle répliqua par une phrase charmante qui parut plaire au vieillard, car sa
physionomie fermée et hautaine s'éclaira.

— Et voici, monsieur le duc, mon petit Ghislain.

Doucement, elle poussait vers le duc l'enfant
qui s'était un peu caché derrière elle. Le vieillard eut un tressaillement. Il posa sa main

tremblante sur la tête blonde et considéra longuement le fin visage empourpré par l'émotion
de cette présentation solennelle.

— Il ressemble à Renaud, sauf les yeux, murmura-t-il d'une voix troublée. Un vrai Mornelles !... Il fera un beau duc.

Il jeta un furtif regard vers les deux photo-
graphies disposées sur une petite table et soupira
douloureusement :

— Il s'appelle Ghislain, dites-vous, ma cousine ? Comme mon père. Nous en ferons, à
l'exemple de celui-ci, un vrai grand seigneur.
Mais je ne veux pas vous retenir plus longtemps.
Je vais vous faire conduire à votre appartement,
car vous devez avoir besoin de repos.

Il agita une sonnette et dit au domestique qui
se présenta :

— Prévenez Mme la baronne que nous l'at-
tendons.

Quelques instants plus tard, Mme Van Hottem
arrivait, toujours suivie de son fils.

— Vous voudrez bien, Cornélia, montrer à la
comtesse de Vaulan son appartement. A ce soir,
ma cousine, nous nous retrouverons pour le
dîner.

Le long de l'escalier de pierre sombre, à travers de larges corridors, la baronne guida les
voyageurs jusqu'à une sorte de rotonde de
pierre, au sol pavé de dalles de granit. Les murailles disparaissaient sous les trophées de chasse
et les panoplies d'armes.

— Ceci est l'antichambre de l'appartement qui
fut de tout temps, celui des ducs de Sailles. Le
duc Renaud l'a délaissé pour habiter au rez-de-
chaussée, à cause de ses rhumatismes qui l'em-
pêchent de gravir un escalier. Il a voulu qu'il
soit désormais celui de votre fils.

Et les yeux bleu pâle de la baronne se po-
saient, l'espace d'une seconde, sur le petit Ghislain.

Elle ouvrit une porte et montra à Mme de
Vaulan les pièces composant l'appartement, toutes décorées avec somptuosité, mais sévèrement. Puis elle se retira en disant qu'elle allait
envoyer la femme de chambre retenue pour
le service particulier de la comtesse de Vaulan.

Une demi-heure après seulement, la jeune
veuve vit apparaître une femme entre deux âges,
à l'air doucereux, qui s'excusa de ce retard avec
des phrases entortillées. Mme de Vaulan ayant
demandé ses bagages, il lui fut répondu qu'une
voiture était partie les chercher et qu'ils arrive-
raient certainement dans un instant.

Mais l'instant s'allongeait indéfiniment, et
l'heure du dîner sonnait lorsque les malles
firent enfin leur apparition. Force fut donc à
Mme de Vaulan et à Ghislain de descendre en
costume de voyage.

Dans la salle à manger, ils trouvèrent le duc
de Sailles, Mme Van Hottem et son fils. Le
duc était en correcte redingote, sa belle-fille
avait orné son corsage de faille noire d'un fort

beau col de dentelle, et le petit Pieter se rai-
dissait fièrement dans son costume de velours
bleu.

Mme de Vaulan vit le coup d'œil jeté par le
duc sur sa robe noire un peu fanée par le
voyage et sur le modeste costume gris de Ghislain. Elle s'excusa aussitôt de cette tenue négli-
gée en en expliquant la raison.

Le vieillard eut un violent froncement de
sourcils.

— Comment, vous n'aviez pas encore vos malles ? Mais, en vérité, Cornélia, comment le service est-il fait, aujourd'hui ? Voilà trois heures
au moins que Mme de Vaulan est arrivée, et
on n'a pas pu lui apporter plus tôt ses bagages?

— Ce sont des négligences de domestiques,
mon père, répondit tranquillement la baronne.
J'avais donné des ordres précis, mais on ne peut
se figurer la difficulté inouïe avec laquelle on
se fait obéir aujourd'hui.

— Cependant, le service s'est toujours fait
parfaitement jusqu'ici, je ne vois pas de raisons
pour qu'il n'en soit pas toujours ainsi. Voulez-
vous vous mettre en face de moi, ma cousine?

La jeune femme s'assit à la place de la maîtresse de maison. Elle se sentait un peu gênée
à la pensée qu'elle en dépossédait peut-être
Mme Van Hottem. En tout cas, la baronne ne
paraissait aucunement froissée, rien ne bougea
sur sa physionomie froide et paisible, tandis
qu'elle s'asseyait à la droite du duc de Sailles.

Le repas, très simple, était servi dans de précieuse et antique porcelaine ; trois domestiques circulaient, silencieux, autour de la table garnie d'une argenterie magnifique. Le vieux duc avait conservé le grand train de maison d'autrefois, malgré ses deuils et sa solitude. Et il avait aussi gardé quelque chose de son esprit original et vif, ainsi que le prouva la conversation qu'il entretint avec Mme de Vaulan et la baronne. De temps à autre, il jetait un long coup d'œil vers Ghislain, qui écoutait très sagement tout en se demandant pourquoi ce petit garçon si vilain assis près de Mme Van Hottem lui lançait de si méchants regards en dessous.

Le dîner terminé, Mme de Vaulan prit congé du duc et de sa belle-fille. Elle était fort lasse et avait hâte de trouver le repos et la solitude de son appartement.

Sur l'ordre du châtelain, un domestique la conduisit à travers les corridors encore inconnus d'elle. Comme ils passaient devant une voûte imparfaitement éclairée, qui était sans doute l'entrée de quelque couloir de service, Mme de Vaulan entrevit, une seconde, une apparition étrange : une femme au teint brun, enveloppée d'une sorte de tunique de couleur éclatante. Deux sombres prunelles se posèrent sur la jeune femme et l'enfant, puis l'apparition s'effaça dans les profondeurs de la voûte.

Rien n'était prêt dans l'appartement de Mme de Vaulan, complètement obscur. Appelée par

plusieurs coups de sonnette, la femme de chambre arriva enfin, toujours doucereuse, avançant
des excuses embrouillées, et prépara avec une
sage lenteur le coucher de la jeune femme et
de l'enfant.

— Maman, je n'aime pas du tout cette Bertine, confia Ghislain à sa mère. Et le fils de
la grande dame blonde a l'air grognon, n'est-ce
pas, maman ?

— Il est peut-être malade, mon chéri. Il
faudra, malgré tout, te montrer aimable pour
lui. Allons, fais ta prière, mon Ghislain, demande au bon Dieu de devenir un bon petit
garçon, afin d'être aimé de ton oncle.

En elle-même, la jeune femme songeait
qu'avec la charmante nature de Ghislain il ne
serait pas difficile à l'enfant de conquérir le cœur
de son parent. Durant le dîner, elle avait remarqué les regards dirigés par le duc vers le petit
être qui reproduisait si bien le type de sa race.
Et, lorsque l'enfant lui avait respectueusement
souhaité le bonsoir, le vieillard l'avait enlevé
dans ses bras pour poser un instant ses lèvres sur
le front ombragé de boucles blondes.

III

Invisible adversaire

Oui, le cœur orgueilleux du duc de Sailles
était bien pris par l'enfant blond qui unissait
les traits superbes des Mornelles à la grâce
charmeuse et à l'enveloppante douceur d'Antoinette d'Erques. Les nouveaux arrivés n'eurent
pas à faire le siège de la place, celle-ci s'était
rendue d'elle-même.

Il résulta, de cette sympathie subite et entière que n'avait pas prévue la jeune femme,
une conséquence destinée à lui provoquer de
graves soucis. Le duc Renaud lui déclara, deux
jours après son arrivée, que le gouvernement
intérieur allait passer des mains de Mme Van
Hottem entre les siennes. Elle eut beau protester, il fut inébranlable.

— Vous êtes la mère de mon héritier, ces
fonctions vous reviennent de droit. Cornélia,
du reste, est une femme trop sensée pour en
éprouver le moindre froissement.

De fait, la baronne avait résigné ses fonctions
avec la plus tranquille bonne grâce. Toutes les
clés furent apportées, dès le lendemain matin,

dans l'appartement de Mme de Vaulan, par la
Javanaise qui servait de femme de chambre à
Mme Van Hottem. C'était cette femme, ancienne
nourrice du petit Pieter, que les voyageurs
avaient aperçue sous la voûte, le soir de leur
arrivée.

La jeune veuve se trouva donc, tout à coup,
à la tête de cette importante maison. Ces roua-
ges intérieurs, depuis longtemps en mouvement,
devaient nécessairement continuer à tourner
sans grandes difficultés, bien que dirigés par
une nouvelle main. Mais des complications singulières surgissaient à chaque instant, et cela à
propos même des faits les plus simples. En apparence, la domesticité semblait entièrement respectueuse des ordres de Mme de Vaulan... En
réalité, la jeune femme avait l'intuition qu'elle
n'était pas obéie, qu'une influence occulte
s'exerçait qui annihilait son autorité.

Ces oublis de service qui l'avaient étonnée
le soir de son arrivée, dans cette demeure pourvue de serviteurs parfaitement stylés, se renouvelaient fréquemment, non seulement pour elle-
même, mais encore à l'égard du duc de Sailles.
Il s'en plaignit un jour, pendant la partie de
whist que faisaient chaque soir avec lui Mme de
Vaulan et la baronne.

— Vraiment, mon oncle, vous m'en voyez
désolée ! dit la jeune femme, rouge de confu-
sion. Je ne sais à quoi attribuer ces négligences.
Mes ordres sont mal compris, peut-être !

— Je vous crois trop douce, Antoinette. Il
faut mener ses gens un peu à la baguette, vous
savez. Allons, ne vous troublez pas ainsi de ma
petite observation.

Mais les négligences se renouvelaient, chan-
geaient de nature, et le service du château de
Sailles se désorganisait réellement, malgré les
efforts de la pauvre Antoinette.

Que faire cependant devant une résistance
qui ne vous heurte pas de front, que l'on sent
seulement latente et sourde ?

Elle n'osait demander l'aide de Mme Van
Hottem. La baronne, invariablement polie, se
tenait sur une réserve paisible et froide qui
semblait d'ailleurs la caractéristique de sa nature. Mme de Vaulan ne la voyait guère qu'aux
repas et le soir, pendant la partie du duc. Autrement, elle se tenait dans son appartement ou
se promenait dans le parc avec son fils. Sa discrétion, on ne pouvait le nier, était parfaite.

Antoinette se demandait parfois avec un peu
d'angoisse si cette étrangère n'était pas la cause
de l'hostilité qu'elle sentait autour d'elle. Cependant la baronne ne semblait plus avoir aucun
rapport avec la domesticité. Akelma, la Javanaise, assurait seule le service de sa maîtresse,
et jamais Mme de Vaulan ne l'avait vue s'entretenir avec qui que ce soit.

Ces soucis d'intérieur pesaient lourdement sur
la jeune femme, qui ne trouvait aucun dérivatif
dans la vie monotone du château de Sailles.

Depuis ses deuils successifs, le duc Renaud avait
cessé ses relations de voisinage, et Mme Van
Hottem paraissait également fort amie de la
solitude. Mme de Vaulan et Ghislain n'avaient
donc comme ressource que de se promener dans
le parc, heureusement fort étendu.

Les seuls moments heureux pour Mme de
Vaulan étaient ceux où elle s'occupait de son
fils. Elle lui apprenait à lire, et l'enfant faisait
de rapides progrès. L'air très pur que l'on res-
pirait ici lui convenait à merveille, il devenait
de plus en plus charmant.

Très souvent, le duc l'appelait près de lui, il
s'égayait de ses reparties et aimait à le voir
assis dans les grands fauteuils surmontés de la
couronne ducale, si joli, si aristocratique, occupé
à feuilleter attentivement des albums d'images
ou caressant Midas, le vieil épagneul, qui avait
été le compagnon de chasse préféré de Gérard
de Mornelles, le fils du duc Renaud.

Très visiblement l'enfant avait fait la conquête absolue du vieillard. Celui-ci semblait
moins renfermé, sa physionomie froide et altière
s'éclairait toujours à l'entrée de Ghislain. Le
petit garçon jouissait près de lui de grandes pri-
vautés, dont il n'abusait pas, d'ailleurs, sa mère
ayant su, si jeune qu'il fût, le pénétrer du prin-
cipe de la discrétion. Et la façon sérieuse, vraiment remarquable, dont elle élevait l'enfant, le
dévouement absolu dont elle l'entourait, contri-
buaient, autant que son charme personnel et sa

délicate intelligence, à lui attirer l'estime du
duc de Sailles.

L'hiver arriva, assez précoce. Dans les che-
minées monumentales, des troncs d'arbres brû-
laient tout le jour. Le duc, fortement pris par
ses rhumatismes, ne quittait plus sa chambre.
Tour à tour, Mme de Vaulan et Ghislain, la
baronne et son fils, venaient lui tenir compagnie. Ses souffrances le rendaient assez atra-
bilaire, et Ghislain seul avait le pouvoir de
l'égayer un peu.

Les difficultés intérieures ne diminuaient pas
pour Mme de Vaulan. Quelque chose d'insai-
sissable existait, qui annihilait mystérieusement
tous les efforts de sa bonne volonté.

Au début de décembre, Ghislain s'enrhuma
à la suite d'une promenade qu'il avait faite
dans le parc avec Bertine, la femme de chambre.
Ce rhume dégénéra en bronchite, et l'enfant dut
garder le lit. Mme de Vaulan ne le quitta pas
tant qu'elle lui vit un peu de fièvre. La nuit,
elle dormait à peine, écoutant la respiration
embarrassée de l'enfant, toute prête à accourir
lorsqu'il se mettait à tousser. Enfin, le mieux
se manifesta, et la jeune femme se trouva un
peu tranquillisée. Elle se remit à parcourir le
château pour veiller à tous les détails, tâche
rendue épineuse par l'étrange mauvaise volonté
dont elle se sentait entourée. La nuit, elle
pouvait dormir maintenant, le cher petit être
reposait, paisible, dans sa chambre bien chauffée

durant le jour, close le soir par elle-même qui
ne laissait pas ce soin à la femme de chambre.

Une nuit, elle s'éveilla en sursaut. Un sifflement bizarre, un peu strident, avait retenti.

Sur son visage, elle sentit un air glacé.

Elle se précipita hors de son lit, s'élança vers
la chambre voisine. La fenêtre, soigneusement
fermée par elle la veille au soir, était grande
ouverte, et, dans son lit, l'enfant, découvert,
grelottait. Il s'ensuivit une sérieuse complication,
dont triompha la vigoureuse constitution du
petit malade.

Tant que dura le danger, le duc Renaud se
traîna chaque jour jusqu'à la chambre de l'enfant. Lorsque Ghislain entra en convalescence,
il le combla de gâteries, et cette maladie parut
avoir encore resserré les liens d'affection qui
l'attachaient à son héritier.

Le châtelain avait voulu établir les respon-
sabilités au sujet de cette fenêtre ouverte. Mais
il ne rencontra que cette constatation absolue :
Mme de Vaulan, seule, s'occupait de regarder
chaque soir les fenêtres de la chambre de son
fils, et cette fois, comme les autres, elle avait
rempli cet office de surveillance, ainsi qu'elle
le déclara elle-même.

— Mais alors, vous n'avez pas fait attention !
Vous avez eu un oubli, une négligence ! dit le
duc avec quelque aigreur.

— Oh ! non, je suis bien certaine d'avoir tout
regardé, d'avoir même secoué fortement les

deux fenêtres pour m'assurer qu'il n'y avait rien à craindre !

— Alors, comment expliquez-vous ? Personne n'est entré chez l'enfant, ensuite ?

— Non, absolument personne. Toutes nos portes étaient closes.

Elle ne pouvait, en effet, s'expliquer ce mystère, non plus que cet étrange sifflement qui l'avait réveillée opportunément.

Plus que jamais, elle veilla sur son fils. Celui-ci demeurait un peu délicat, le docteur conseillait beaucoup de ménagements et aussi des distractions.

— Il lui faudrait un camarade de son âge, par exemple.

— Hum ! ce n'est pas facile ! observa le duc. Il y a bien Pieter... mais je crois qu'il ne te va guère, petit Ghislain ?

L'enfant secoua vivement sa tête blonde.

— Non, mon oncle, il était tout le temps de mauvaise humeur, les deux fois que j'ai joué avec lui.

— Oui, c'est un caractère désagréable, je te le concède. Sa mère fait cependant tout ce qu'elle peut pour le transformer. Voyons, qui pourrions-nous te trouver comme camarade ? Ah ! peut-être le petit d'Aubars ! Vous avez dû voir Mme d'Aubars à l'église, Antoinette ? Elle y est très assidue. Une grande brune, l'air froid et triste, en deuil sévère. Elle est veuve depuis deux ans et habite le petit castel de Rocherouge,

tout près de Saint-Pierre. Autrefois, nos deux
familles voisinaient beaucoup. Elle vient encore
me voir au premier janvier. Son fils m'a paru
gentil, bien élevé. Vous pourriez lui faire une
visite, Antoinette, je suis sûr que vous trouveriez
de l'agrément dans des relations avec cette jeune
femme très distinguée et plus aimable que ne
pourrait le faire croire son apparence un peu
froide.

Dès le lendemain, Mme de Vaulan se rendait
à Rocherouge. Elle se trouva fort bien accueillie
par Mme d'Aubars, et le petit Maurice lui parut
réaliser le type du camarade désiré pour Ghislain. Quelques jours plus tard, les deux enfants
jouaient dans le parc du château, et, sur l'ordre
du duc, une voiture alla chaque jour à Rocherouge prendre le petit d'Aubars ou y conduire
Ghislain, déjà enchanté de son nouvel ami.

Mme Van Hottem n'avait paru se froisser
aucunement de voir un camarade du dehors
donné au futur duc, alors que son fils, à peu
près du même âge, était tout désigné pour
remplir ce rôle. Elle n'avait du reste jamais
paru très désireuse de voir ensemble les deux
enfants, et il fallait convenir que la retraite
dans laquelle elle tenait Pieter ne devait pas
contribuer à rendre plus sociable ce caractère
maussade.

Cependant, par politesse, Mme de Vaulan
faisait parfois demander le petit Van Hottem
pour jouer avec les deux autres enfants. En

voyant arriver Pieter, toujours renfrogné, Maurice faisait une légère moue et Ghislain fronçait un peu ses beaux sourcils blonds. Mais néanmoins, parfaitement élevés tous deux, ils s'efforçaient d'être suffisamment aimables et d'entraîner dans leurs jeux le petit Hollandais.

La Javanaise arrivait toujours avec son jeune maître, elle le surveillait en exécutant de ravissantes broderies. Les prunelles noires, extraordinairement brillantes, allaient sans cesse de lui à Ghislain. A cette servante dont elle paraissait faire un cas immense, la baronne confiait très souvent son fils, et un jour, voyant Mme de Vaulan un peu souffrante se forcer pour accompagner les enfants dans le parc, elle dit, avec sa froide urbanité coutumière :

— Vous pouvez sans crainte les laisser sous la surveillance d'Akelma. Elle ne les quittera pas des yeux, soyez-en certaine, et saura se faire obéir d'eux.

Mme de Vaulan laissa donc les trois enfants s'en aller sous la conduite de la Javanaise. Au retour, Ghislain lui raconta avec enthousiasme qu'Akelma savait de merveilleuses histoires de son pays, et qu'elle avait promis de leur apprendre des jeux nouveaux. Elle était très soigneuse, très attentive pour lui, elle avait veillé à ce qu'il ne prît pas trop chaud en courant, et, lui voyant au front un peu de sueur, elle avait voulu la lui essuyer avec un mouchoir de soie qui sentait

très bon. Mais Pieter, jaloux, s'était jeté sur
elle et avait saisi le mouchoir en criant :

— A moi d'abord ! Tu n'as pas besoin de
t'occuper de lui !

Akelma, toujours si douce pour son petit
maître, l'avait brusquement saisi, lui avait arraché le mouchoir et avait jeté celui-ci dans le
torrent qui coulait au bas du parc.

— De colère, maman, oui, c'est sûr, car elle
avait un air ! Et son teint était tout changé, ses
mains tremblaient. Mais j'ai un peu mal à la
tête, maman, et j'ai bien sommeil.

Ce mal de tête augmenta encore et persista
tout le lendemain. Pieter en était atteint aussi,
à un degré moindre. Le surlendemain, les deux
enfants étaient à peu près remis, mais Ghislain
conservait une sorte de langueur qui ne diminua
pas les jours suivants.

De son côté, Mme de Vaulan éprouvait une
extrême lassitude, de fréquents malaises venaient
l'assaillir. Son sommeil était lourd, peuplé de
songes pénibles, elle perdait l'appétit et chan-
geait à vue d'œil.

— Vous êtes vraiment pâlie et maigrie, Antoinette, lui dit un jour le duc de Sailles. Peut-
être le climat d'ici ne vous convient-il pas ?

— Je ne sais pas, mon oncle, mais il est vrai
que je me sens très fatiguée.

— Eh bien ! il faut vous reposer davantage.
Cornélia vous suppléera quelque temps dans
votre tâche de maîtresse de maison, n'est-ce pas ?

ajouta-t-il en se tournant vers sa belle-fille qui
se trouvait précisément là.

— Mais certainement, mon père, répondit-
elle avec une tranquille bonne grâce.

De ce moment, le service redevint irrépro-
chable. Et Mme de Vaulan se trouva soulagée
de n'avoir plus à remplir cette tâche singulièrement lourde pour elle. Mais sa fatigue ne disparut pas, bien au contraire, malgré les quelques
distractions qu'elle essaya de se procurer ; de
plus en plus aussi elle tentait de résister, mais en
vain à cette tristesse découragée qui envahissait
son cœur jusque-là si vaillant, même au milieu
des douloureuses épreuves déjà traversées.

IV

Qui donc ?

A travers la grande chambre aux tentures de
damas violet, Ghislain venait de se glisser jusqu'au lit de sa mère. Il avait guetté le départ
du médecin et venait maintenant savoir si sa
chère maman était bien malade. Depuis quinze
jours, Mme de Vaulan était prise d'une petite
fièvre presque continuelle qui lui enlevait gra-
duellement toutes ses forces. Elle s'était effrayée
et avait fait appeler le médecin, encouragée
par le duc de Sailles qu'inquiétait son visible
changement. Le docteur Marquet venait de déclarer qu'elle était en proie à une très grande
anémie, il avait prescrit des fortifiants, et, au
printemps, un changement d'air d'un ou deux
mois.

— Je vous promets que vous guérirez vite et
facilement, avait-il ajouté d'un air convaincu.

Le courage de la jeune femme s'était trouvé
un peu relevé par cette affirmation. Aussi ce
fut d'un ton presque joyeux qu'elle dit à Ghislain :

— Bientôt, tu verras ta maman guérie, je l'espère, mon chéri.

— Ah ! quel bonheur, maman ! Cela me fait tant de peine de vous voir malade ! Et nous recommencerons à nous promener ensemble, dites ?

— Oui, bientôt, je crois. En attendant, va-t'en vite, mon mignon, Bertine doit t'attendre en bas. Es-tu bien couvert ? Il y a de la neige, fais attention de ne pas prendre froid.

Elle lui ferma son petit paletot, s'assura qu'il avait ses gants de laine dans sa poche et le regarda s'éloigner. En songeant à son enfant chéri, elle tomba dans une demi-somnolence, ainsi qu'il lui arrivait fréquemment maintenant. Quand elle ouvrit les yeux, le crépuscule tombait. Elle s'étonna de n'avoir pas été réveillée par le retour de Ghislain. Mais Bertine, s'étant aperçue qu'elle dormait, avait sans doute fait marcher l'enfant très doucement. Elle sonna. Ce fut une autre femme de chambre qui parut.

— Bertine ? Pourquoi ne vient-elle pas ?

— Madame, c'est que... il lui est arrivé... un malheur...

La jeune femme se dressa brusquement sur son lit.

— Quoi donc ? Et mon fils ?

— C'est à M. Ghislain justement que...

— Mais dites-donc ! parlez ! s'écria Mme de Vaulan frémissante.

— Eh bien ! Madame, Bertine est rentrée tout

à l'heure comme folle, en criant que l'enfant
était tombé dans la carrière des Sept-Percées.
Les domestiques y ont couru, Mme la baronne
y est aussi.

Déjà Mme de Vaulan était hors de son lit.
Elle s'enveloppa à la hâte d'un peignoir et
s'élança au dehors, sans souci du froid vif de
cette soirée et de la neige où s'enfonçaient ses
pieds chaussés de pantoufles.

Cette carrière des Sept-Percées était creusée
dans la partie ouest du parc, la plus inculte et
par cela même la préférée des enfants. Depuis
deux siècles elle était abandonnée, et la
croyance populaire y plaçait l'apparition du
fantôme d'un duc de Sailles trouvé jadis assas-
siné là. Aussi aucun membre du personnel du
château ne s'y serait-il hasardé à la nuit tom-
bante, en temps ordinaire, du moins, car aujourd'hui ils étaient tous là, sous la direction
de Mme Van Hottem, calme et énergique comme
toujours. Pour atteindre par en bas le fond de
la carrière, très profonde, il aurait fallu un
temps considérable, aussi la baronne avait-elle
décidé qu'un des plus adroits parmi les domestiques descendrait à l'aide d'une corde.

Il avait commencé cette descente lorsque
Mme de Vaulan arriva. Elle se laissa tomber à
genoux au bord de la carrière, et, les yeux
dilatés, à demi morte d'angoisse, elle regarda
l'homme glisser dans le précipice au fond duquel
gisait Ghislain, son Ghislain.

Des minutes, des siècles s'écoulèrent. La corde
remuait, la lueur de la lanterne perçait l'obscurité. Le domestique apparaissait, montant lentement, embarrassé par un fardeau.

— Vit-il, Léon ?

— Je ne sais... je crois que oui...

Enfin, le sauveteur arrivait au but. Des bras
vigoureux se tendirent pour l'aider, il fut hissé
au bord de la carrière. Et Mme de Vaulan saisit
l'enfant inanimé...

Un cri où se mêlaient l'effroi et la stupeur
s'échappa de ses lèvres, répété par tous ceux qui
étaient là. Le front de l'enfant était couvert
d'un large mouchoir taché de sang.

— Mon Ghislain ! ô mon Dieu ! gémit Mme
de Vaulan. Vite, un médecin ! Courez, Antoine !

Et ses mains frémissantes tâtaient les petits
membres, s'attendant à les voir brisés. Mais non,
il ne paraissait avoir qu'une blessure à la tête.

Et le cœur battait encore.

— Ce mouchoir ? Est-ce vous qui le lui avez
mis, Léon ? demanda la voix légèrement agitée
de Mme Van Hottem.

— Mais non, madame la baronne ! J'ai trouvé
l'enfant couché sur un tas de sable qui a dû
amortir sa chute, je l'ai emporté aussitôt. C'est
singulier, ce mouchoir ; il n'est pas venu tout
seul. Et l'enfant avait sur lui une couverture
bien chaude que j'ai laissée en bas.

— Une couverture ! s'exclama Bertine. Pourtant, personne ne va jamais dans cette carrière

si dangereuse. Et pourquoi, si on a soigné l'enfant, l'a-t-on laissé là ensuite tout seul ?

— Allons, nous éclaircirons cela plus tard, dit froidement la baronne. Le plus pressé est de rentrer.

Déjà Mme de Vaulan s'en allait, serrant éperdument son fils contre elle. Dans la salle des Gardes, le duc attendait, blême d'angoisse. Il eut une exclamation :

— Le voilà ?... vivant ?...

— Oui, oui, mais blessé.

Elle se hâta vers son appartement, et le vieillard la suivit, malgré l'atroce souffrance de ses rhumatismes. Mme de Vaulan étendit l'enfant sur son petit lit, puis essaya de le faire revenir à lui, Elle y réussit enfin, elle vit s'ouvrir les yeux bruns un peu vagues encore.

— Ghislain, mon bien-aimé !

Sous la caresse des doigts maternels, l'enfant reprenait connaissance. Il murmura :

— Maman... mon oncle...

Puis il sourit au vieillard qui posait sa main tremblante sur son petit visage souillé de sable et de sang.

Le docteur arriva peu après, il défit le bandage si mystérieusement posé et constata une plaie assez profonde.

— Si l'hémorragie n'avait été arrêtée juste à temps par ce mouchoir, je crois que l'enfant était perdu, déclara-t-il.

Ce morceau de toile défrayait toutes les con-

versations du château. Il semblait même intri-
guer fortement Mme Van Hottem, malgré son
ordinaire impassibilité. Sur son ordre, deux
domestiques, en passant par le ravin creusé en
bas du parc, avaient visité la carrière. Ils dé-
clarèrent n'avoir relevé aucune trace de pas.
Quant à la couverture vue par Léon, elle avait
disparu.

La guérison de Ghislain marchait rapidement.
L'enfant, un peu abattu les premiers jours,
recommençait à causer. Le duc Renaud venait
s'asseoir longuement près de lui, malgré la fatigue que lui causait l'étage à monter. Il voulait,
disait-il, jouir le plus possible de son petit
Ghislain, car il se faisait bien vieux et sentait
qu'il n'avait plus longtemps à demeurer sur
la terre.

— Comment as-tu fait, petit imprudent, pour
t'en aller tomber dans cette carrière ? lui demanda-t-il un jour.

— Mon oncle, je voulais avoir les jolies fleurs.

— Des fleurs dans le parc ? et en pleine
neige ?

— Oui, c'étaient de belles fleurs blanches, des
roses de Noël, vous savez.

— Des roses de Noël ? Tu rêves, enfant, il
n'y en a jamais eu dans le parc.

— Oh ! si, mon oncle, c'était bien cela, elles
étaient toutes pareilles à celles de notre jardin
de Virènes, mais plus belles encore. Je les
voyais presque au bord de la carrière, sur un

petit tas de neige. J'ai voulu les cueillir pour
maman, et, sans rien dire à Bertine qui marchait un peu devant, je me suis approché. J'ai
senti alors que je tombais... et puis après, je ne
me rappelle plus.

Le récit de Bertine corrobora celui de l'enfant. Elle aussi avait vu les roses de Noël dont
on ne retrouva pas trace, d'ailleurs. L'accident
dont avait été victime Ghislain était évidemment dû à un petit éboulement du bord de la
carrière. Mais l'être mystérieux qui avait soigné
l'enfant demeurait une énigme, malgré tous les
efforts d'Akelma, qui semblait plus acharnée
que quiconque à connaître la vérité.

Maintenant, une terrible crise de rhumatismes
clouait le duc à la chambre. Mme de Vaulan,
de plus en plus souffrante elle-même, ne pouvait guère l'entourer, surtout ayant à surveiller
sans cesse Ghislain, qu'elle ne voulait plus confier à Bertine, trop peu soigneuse. Elle devait
se contenter, chaque après-midi, de passer deux
ou trois heures près du vieillard, et là, entendait
généralement vanter le dévouement de Cornélia,
son adresse incomparable pour soigner les malades et ses rares facultés de maîtresse de maison. Le duc Renaud semblait en ce moment
moins bien disposé pour la mère de son héritier.
Si celui-ci jouissait toujours de ses bonnes grâces, il était visible que Mme de Vaulan perdait
du terrain. Quelqu'un la desservait-il près de

lui ? Elle n'osait le penser et le craignait cependant.

Un soir où il s'était montré plus froid, presque dur à son égard, elle rentra chez elle les
larmes aux yeux, lasse à mourir, au moral comme au physique. Laissant Ghislain dans le salon
en compagnie de soldats de plomb, elle se réfu-
gia dans sa chambre pour prier et se recueillir.

Comme elle s'agenouillait sur le prie-Dieu,
son regard tomba sur une petite table voisine.
Un papier était placé là, qu'elle ne se souvenait
pas avoir mis.

Elle étendit la main et le prit ; ses yeux se
posèrent sur ces lignes, écrites en grands caractères fermes :

Veillez sur l'enfant, ne le quittez jamais.
Prenez garde au poison, pour lui et pour vous.
Surtout ne parlez de vos craintes à personne ici.

Blême d'horreur, tout son corps secoué de
tressaillements, la jeune femme demeurait là,
anéantie, les yeux fixés sur le papier.

Qui la prévenait ainsi ? C'était donc sérieux,
ce vague pressentiment qui la serrait parfois au
cœur ?

Mais que voulait-on à son Ghislain ?

Devant ses yeux surgit la haute silhouette de
la baronne Van Hottem, son blanc visage impassible, ses yeux bleus doux et froids.

Non, non, c'est impossible ! Qu'elle soit jalouse à cause de son fils, qu'elle essaye de nous faire mal voir de son beau-père, oui, peut-être... mais le crime, le crime... non, non !

V

Au plus profond du mystère

Dès lors, tous les instants furent une torture pour la malheureuse femme. Elle ne quittait pas l'enfant, sauf lorsqu'il était appelé par le duc de Sailles. Alors, elle ne le laissait aller qu'en tremblant, n'osant le suivre toujours, d'autant que le vieillard lui témoignait maintenant une incontestable froideur. Cette pensée du poison la poursuivait, lui faisait redouter plus que toute chose le moment des repas. Ces malaises, jamais éprouvés, ne venaient-ils pas de là ? Et Ghislain languissait visiblement, il perdait son entrain et devenait très pâle.

Un jour, se trouvant plus souffrante, elle fit appeler le médecin. Celui-ci, un vieil homme guindé et sec, parla de nouveau d'anémie.

— Je ne sais pourquoi, mais je me figure que... que ce sont des symptômes d'empoisonnement, balbutia la jeune femme.

— Soignez vos nerfs, madame, soignez-les bien. Eux surtout sont malades, je le vois.

— Il a peut-être raison, pensa Mme de Vaulan après son départ. Ce billet est sans doute l'œuvre de quelque sinistre farceur. Et cependant, l'intervention mystérieuse qui a sauvé Ghislain lors de sa chute dans la carrière ?

Elle essaya de se raisonner, de repousser l'affreux soupçon. Mais sa santé s'affaiblissait de plus en plus, et Ghislain languissait toujours. Tous deux avaient de fréquents accès de somnolence, leur visage se creusait davantage chaque jour.

— Anémie, anémie, répétait le docteur.

— Quelle pauvre santé vous avez, Antoinette! Et malheureusement, je crois que votre fils en a hérité, disait le duc de ce ton sec qu'il adoptait maintenant envers la jeune veuve.

Elle avait un peu espéré que le retour du printemps lui ferait du bien, ainsi qu'à Ghislain. L'enfant parut, en effet, éprouver un léger mieux, mais chez elle la faiblesse augmenta, au contraire. Plusieurs fois, elle eut de longs évanouissements dont ne savait comment la faire sortir sa femme de chambre. Bertine recourait alors à Akelma, et, en ouvrant les yeux, Mme de Vaulan voyait penché sur elle le brun visage de la Javanaise. Un frisson la parcourait en rencontrant ces yeux noirs étrangement brillants, en sentant le contact de cette main fine, toujours glacée.

Un jour, cette syncope la prit subitement, dans la nuit. Lorsqu'elle revint à elle, le jour pénétrait à travers les vitres. Brisée et presque sans pensée, elle demeura une demi-heure im-

mobile, essayant de reprendre tout à fait ses
sens. Le timbre de la pendule sonnant huit heures la fit tout à coup tressaillir. Huit heures !
Comment Ghislain n'était-il pas encore levé ?

Elle se laissa glisser hors de son lit et passa
dans la pièce voisine.

Mais oui, l'enfant était levé, car son petit lit
était vide. Bertine l'avait sans doute habillé et
emmené sans bruit pour le faire déjeuner,
croyant sa maîtresse endormie.

Comme la jeune femme étendait la main vers
la sonnette, son regard tomba sur la petite
table posée au chevet du lit. Un papier s'y trouvait étalé. Avec une exclamation étouffée, elle
le saisit et lut :

*J'ai enlevé l'enfant et le garderai en lieu sûr,
car à tout instant il se trouve en danger ici.
Prenez garde à vous, on vous empoisonne. Fuyez
cette demeure si vous voulez vous conserver
pour l'enfant. Lui ne craint plus rien entre mes
mains, soyez en repos à son sujet. Vous le re-
verrez un jour.*

Un gémissement s'échappa des lèvres de Mme
de Vaulan, et la jeune femme, trop faible pour
supporter ce nouveau coup, s'affaissa sur le
parquet.

Quand elle reprit ses sens, elle se vit entre
la Javanaise et Bertine. Ses mains s'étendirent
instinctivement pour repousser Akelma.

— Comment, vous ne voulez pas que je vous

soigne, madame ? dit la nourrice de Pieter de sa voix douce, à l'accent bizarre.

— Non, non, laissez-moi, balbutia la jeune femme.

Et, saisie d'une pensée subite, elle demanda d'une voix étranglée :

— Le papier. J'avais un papier. Où est-il ?

— Un papier ? Non, nous n'avons rien vu, madame ! N'est-ce pas, Bertine ?

— Non, rien du tout, madame la comtesse.

Les traits de Mme de Vaulan se crispèrent.

— Mais si, il y avait un papier. Vous l'avez pris. Vous l'avez volé. Rendez-le-moi !

Le regard de la Javanaise se fit très doux, presque compatissant.

— Pauvre dame, je crois qu'elle n'a plus tout à fait sa raison ! murmura-t-elle. Bertine, allez donc lui faire une tisane calmante, je vais rester près d'elle pendant ce temps, car on ne peut vraiment la laisser seule.

— Non, Bertine... Bertine ! balbutia Mme de Vaulan.

Mais Bertine était déjà partie. Et un effroi sans nom envahit Mme de Vaulan lorsqu'elle se vit seule avec cette femme.

D'un mouvement prompt, Akelma sortit de sa poche un mouchoir fortement parfumé et l'approcha des narines de la malade. La malheureuse femme sentit un engourdissement envahir son cerveau ; ses membres, peu à peu, se raidirent.

Quand Bertine revint, apportant la tisane, Akelma lui dit en désignant la jeune femme immobile, les yeux clos et la physionomie légèrement crispée :

— Elle s'est endormie tout d'un coup et je crois que ce cordial est inutile. Le sommeil lui fera plus de bien que tout, surtout excitée comme elle paraissait l'être au sortir de cette syncope.

Vers midi, le duc de Sailles apprit de la bouche de sa belle-fille, visiblement très inquiète et émotionnée, la nouvelle de la disparition de Ghislain, dont il était impossible de trouver trace, malgré toutes les recherches déjà faites.

— Mais c'est impossible ! Et sa mère, que fait-elle ?

— Elle s'est endormie après une syncope, et le docteur, que je viens de faire appeler, essaye de la réveiller ; mais en vain. Le cœur ne bat plus, dit-il.

Le vieillard se précipita vers l'appartement des ducs. Il y trouva le médecin qui essayait encore, par acquit de conscience, de trouver un reste de vie chez la jeune femme.

— C'est fini, monsieur le duc, déclara-t-il. La mort doit remonter à deux ou trois heures.

— Mais enfin, à quoi l'attribuez-vous ?

— Mme de Vaulan avait une maladie de cœur à son début. Cependant, je n'aurais jamais pensé à une fin aussi soudaine, pour le moment du moins. Il faut pourtant nous rendre à l'évidence. Je puis faire l'autopsie, du reste.

— Ce serait préférable, appuya la baronne.
Mais enfin, ceci n'explique pas cette disparition de l'enfant ?

— Oui, l'enfant, l'enfant ! s'écria le duc. Il
faut pourtant qu'on le retrouve, il ne peut en
être autrement !

Les recherches recommencèrent, elles se pour-
suivirent longtemps sans donner le plus petit
indice. La police, prévenue par Mme Van Hottem, ne fut pas plus heureuse. Et cependant, la
baronne et Akelma déployaient à cet égard
une fiévreuse activité, elles cherchaient, cherchaient sans cesse.

C'était, pour le duc Renaud, un coup terrible,
car il avait mis en cet enfant tout son espoir.

— Qui donc nous donnera la clé de ce mystère atroce ?

Bien souvent, cette interrogation anxieuse devait jaillir de l'esprit du duc de Sailles, et,
longtemps, il devait tendre l'oreille, écoutant si
enfin ne retentirait pas sur les dalles du corridor
le pas décidé de l'enfant charmant et affectueux
qu'il se plaisait à appeler « mon beau petit duc ».

DEUXIEME PARTIE

STANISLAS DUGAND

I

Le neveu du voisin

— Mademoiselle Vitaline, le facteur doit
m'apporter un petit paquet. Vous voudrez bien
le prendre si je ne suis pas de retour à son
passage ?

— Mais avec plaisir, monsieur ! Vous allez
au-devant de votre petit-neveu ?

— Oui, et je me hâte, car je me crois un peu
en retard. Vous avez de bonnes nouvelles de
M. Pierre ?

— Excellentes ! Ce malaise n'a heureusement
pas eu de suites. Merci, monsieur Dugand !

Et Vitaline des Landies répondit par une gen-
tille inclinaison de tête au salut de M. Adrien
Dugand, un grand vieillard pâle et grave, dont
le maigre visage s'encadrait de superbes favoris.
Après quoi, la fillette referma la porte de l'appartement et entra en coup de vent dans une
petite salle à manger modestement meublée. —
Une jeune fille brune, qui cousait près d'une

fenêtre, tourna vers elle un fin visage délicieusement éclairé par d'admirables prunelles d'un bleu foncé.

— Qui a sonné, Vitaline ?

— C'est M. Dugand. Il venait demander que nous prenions en son absence un petit paquet que le facteur doit apporter. Il va chercher son petit-neveu, tu sais.

Vitaline parlait avec une certaine animation qui amena sur les lèvres de sa sœur un gai sourire.

— Ne croirait-on pas que c'est là tout un événement ? Voilà huit jours que tu nous parles de l'arrivée de cet inconnu, Linette !

— Mais cela va rompre un peu la monotonie !... Pourvu qu'il soit aimable ! M. Dugand paraît l'aimer beaucoup, n'est-ce pas, Noella ?

— Oui, autant du moins qu'on peut deviner les véritables sentiments de cette nature fermée. Allons, remets-toi à ton piano, Vitaline, tu n'as pas eu ton compte d'étude, aujourd'hui.

La fillette eut une moue qui plissa son brun visage où les yeux noirs brillaient, vifs et gais.

— C'est tellement ennuyeux, ces nouveaux exercices ! Ne peux-tu me donner à étudier quelque chose de plus intéressant ?

— Non, ma chérie, ceci est absolument nécessaire, tu sais qu'il faut préparer ton avenir.

Vitaline baissa le front et se dirigea vers le piano. Cette phrase : « Il faut préparer ton avenir », avait toujours été l'argument sans ré-

plique pour les enfants de Lucien des Landies.
Tout jeunes, ils avaient eu l'intuition des lourds
soucis matériels cachés sous une apparence aisée,
des craintes sans cesse renouvelées, suscitées
par les menées d'un gouvernement sectaire.
Noella, l'aînée, dont le cœur renfermait toutes
les délicatesses et toutes les énergies, avait lar-
gement contribué à faire pénétrer de bonne
heure dans l'esprit de ses frères et de sa sœur
cette persuation de la nécessité d'un travail
assidu, afin d'aider le plus tôt possible au soulagement matériel et moral des chers parents.

Lorsque le substitut, frappé par une révoca-
tion arbitraire, se trouva sans position, Noella,
qui venait d'avoir seize ans, s'écria en lui sautant au cou :

— Père chéri, je vais étudier plus que jamais mon piano, et l'année prochaine je pourrai
commencer à donner des leçons.

Pierre, l'aîné des garçons, se trouvait alors
au Séminaire. Car Dieu avait accordé aux des
Landies cette grâce inappréciable d'une vocation
ecclésiastique, — grâce trop souvent redoutée
et méconnue de parents même religieux, mais
que ces vrais chrétiens avaient accueillie avec
une pieuse allégresse.

— Je ne puis rien faire pour vous aider,
cher papa, dit-il avec tristesse en revoyant son
père après l'événement.

— Tu es notre égide, notre intercesseur près
de celui à qui tu te donnes tout entier. Dieu

ne nous abandonnera pas, va, mon cher enfant.

A Pau, M. des Landies avait trouvé une modeste position, et il venait de s'installer dans
cette ville avec sa famille lorsqu'une crise de
la maladie de cœur dont il souffrait l'enleva
subitement.

Cette fois, c'était la gêne au logis. Mme des
Landies, surmontant sa douleur, chercha et
trouva quelques leçons de français ; Noella,
malgré sa jeunesse, réussit à se procurer quelques élèves. Peu à peu, celles-ci augmentèrent.
Mais Mme des Landies, dont la santé était
précaire, avait dû, depuis un an, abandonner
la plupart de ses leçons, et s'occupait au logis
à faire quelques broderies peu payées. Vitaline
et le petit Raoul, qui venait d'atteindre dix ans,
travaillaient avec courage, ayant sous les yeux
l'exemple de Noella qui ne se plaignait jamais,
malgré de fréquentes fatigues.

La jeune fille était pour sa mère un incomparable soutien. Sérieuse et enjouée, douce et
ferme, elle était adorée de ses frères et de sa
sœur, et justifiait admirablement le surnom
d' « aimable sagesse » que lui avait décerné son
frère aîné.

A Pau, Mme des Landies avait fait peu de
relations. Elle habitait, dans la cour d'une maison de modeste apparence, la moitié d'un
petit pavillon dont l'autre partie était occupée
par un ancien commerçant, M. Dugand. Correct
et froid, il se contentait d'un salut en rencon-

trant ses voisines. Mais une nuit, en proie à
d'affreux malaises causés par une sorte d'empoisonnement, il se traîna jusqu'à l'appartement contigu en demandant du secours. Mme
des Landies et Noella le soignèrent admirablement, et le vieillard, reconnaissant, dérogea pour
elles à ses habitudes de solitude hautaine. Il
venait maintenant assez souvent leur rendre
visite, s'égayant un peu aux amusantes reparties
de Vitaline et de Raoul, éprouvant un visible
plaisir à causer de sujets sérieux avec Noella
dont l'intelligence était remarquable. Il avait
beaucoup voyagé, beaucoup vu, beaucoup retenu ; son caractère semblait honnête et droit,
son jugement très sûr, sauf en matière de religion. Sur ce point, le vieillard paraissait avoir
de fortes idées préconçues, ainsi que ses voisines
avaient pu s'en apercevoir parfois. Mais il pos-
sédait assez de tact pour éviter de les froisser à
ce sujet, et il y avait lieu d'espérer que la
fréquentation de cette famille si vraiment chrétienne transformerait peu à peu ses sentiments.

Aujourd'hui, il s'en allait au-devant de son
petit-neveu, ingénieur en Amérique, qui venait
passer quelque temps près de lui. L'arrivée de
cet inconnu agitait fortement Vitaline et Raoul,
dans la paisible existence desquels tout était
événement. M. Dugand paraissait faire le plus
grand cas de son jeune parent, il avait déclaré
à Mme des Landies qu'il ne connaissait pas dans
les deux mondes, d'homme supérieur à Stanis-

las Dugand. Et dans la bouche de cet homme si
froid, si pondéré dans ses appréciations, l'éloge
prenait une valeur immense, il mettait par
avance une auréole au front de ce jeune inconnu
dont la pensée, aujourd'hui, trottait sans relâ-
che dans la cervelle imaginative de Vitaline,
au point de lui faire cribler de fautes ses exercices musicaux.

— Voilà une étude qui ne compte guère, ma
petite, dit Noella en se levant pour ranger son
ouvrage. Tu as la tête ailleurs aujourd'hui.
Allons, va mettre ton chapeau, et cours chercher
une côtelette pour maman, car notre dîner est
un peu court, ce soir.

Vitaline ne se le fit pas dire deux fois. Elle
était toujours enchantée de sortir, de prendre
du mouvement, tout en sermonnant Raoul qui
venait de rentrer, retenu jusque-là par un pen-
sum.

— On sonne ! Je vais ouvrir, Noellette, ne
te dérange pas ! s'écria tout à coup le petit
garçon, enchanté d'interrompre la mercuriale.

Il s'élança vers la porte. Noella entendit une
exclamation :

— Ah ! M. Dugand !

Elle s'avança à son tour et vit le vieillard
debout devant la porte.

— Mademoiselle Noella, je suis venu en avant
afin que vous ne vous inquiétiez pas en voyant
arriver votre sœur portée par mon neveu. Elle

est tombée dans la rue à côté et je crois qu'elle a une entorse.

Derrière le vieillard apparaissait une haute et élégante silhouette, une belle tête énergique et hautaine. Noella rencontra des yeux bruns superbes dont la douceur atténuait l'expression quelque peu altière de la physionomie. Cet inconnu portait Vitaline, un peu pâle, mais qui sourit aussitôt pour rassurer sa sœur.

— Ce n'est rien, Noella, une simple entorse.

Mme des Landies, attirée par ce bruit de voix, arrivait aussi. Le jeune homme déposa doucement Vitaline sur le canapé du salon, et Noella s'empressa de déchausser sa sœur.

C'était, en effet, une entorse, pour laquelle Stanislas Dugand proposa un remède employé jadis par lui avec succès.

Ce jeune homme qui avait si grande mine et des manières remarquablement distinguées, se montrait extrêmement simple et affable, discrètement serviable, et Raoul, lorsqu'il se fut éloigné avec son oncle, résuma l'impression de tous en s'écriant avec enthousiasme :

— Ce qu'il est chic, le neveu du voisin ! Je croyais que M. Dugand exagérait en, en faisant tant d'éloges, mais je vois qu'il avait raison !

— En effet, ce jeune homme paraît fort bien, dit Mme des Landies. Son regard m'en rappelle un autre, je ne peux préciser lequel...

— Il a une si belle barbe blonde ! continua

Raoul, tout à fait emballé. Et il doit être très
gai, malgré son air sérieux.

— Un vrai grand seigneur ! déclara l'enthousiaste Vitaline que la connaissance du neveu de
M. Dugand semblait un peu consoler de son
entorse.

Noella eut un joli rire clair, un peu moqueur.

— Voyez-vous, cette Linette, comme elle s'y
connaît.

Un grand seigneur n'a pas toujours d'allures
spéciales, ma petite, il peut même être — ce
qui arrive fréquemment — fort vulgaire, beaucoup plus que bien des êtres de plus simple
extraction.

— A preuve, justement, M. Stanislas Dugand,
ajouta Mme des Landies. Mais enfin, l'apparence
est peu de chose, il faudra savoir si ce jeune
homme est sérieux — comme le prétend son
oncle, — et je le souhaite vivement à cause des
rapports obligés que nous aurons ensemble.

Ces rapports devaient devenir très fréquents,
surtout après l'arrivée de Pierre qui venait
passer ses vacances en famille. La nature ouverte, délicate et enjouée du jeune séminariste
semblait avoir aussitôt séduit Stanislas. De son
côté, Pierre avait vite apprécié le caractère très
élevé, le cœur très noble et la haute intelligence
de l'ingénieur. Ils se comprenaient tous deux
admirablement, et l'intimité grandissait très vite
entre eux, basée sur une mutuelle et profonde
estime.

Cependant, un point les séparait : Stanislas n'avait reçu aucune éducation religieuse, et jamais il n'abordait ce sujet avec le futur prêtre.

Ensemble, les deux jeunes gens faisaient de longues promenades ou des excursions aux environs de Pau. Très souvent aussi les habitants du pavillon se retrouvaient dans le jardin commun aux deux appartements.

Stanislas, très gai, organisait des jeux pour Vitaline et Raoul, qui ne voyaient plus que par ses yeux, il causait avec Mme des Landies et Noella et faisait de la musique avec la jeune fille.

Celle-ci, comme son frère, appréciait de plus en plus ce très beau caractère avec lequel le sien se rencontrait toujours dans les mêmes opinions, les mêmes goûts et semblables aversions pour le mal.

Il n'y avait vraiment que cette question de religion.

Et Noella apprit un jour pourquoi le jeune ingénieur était ainsi dépourvu de toute croyance.

C'était un soir d'août, extrêmement chaud. Stanislas, excellent violoniste, l'accompagnait sur la demande de son oncle, mélomane passionné. Ils se trouvaient tous deux dans le salon de Mme des Landies, qui ouvrait de plain-pied sur le jardin. Au dehors, près de la porte, étaient assis M. Dugand, Mme des Landies, Vitaline et ses frères.

Stanislas venait de jouer avec un charme

pénétrant un morceau intitulé *Prière*, et Noella,
ravie, se détourna sur le tabouret en disant avec
émotion :

— Vous vous êtes surpassé, monsieur ! Vraiment, il me semblait entendre l'âme croyante
laissant monter vers Dieu sa prière, tantôt tendre et douce, tantôt suppliante, presque pas-
sionnée.

— L'âme croyante ?... La mienne n'est cependant pas ainsi, elle n'a jamais connu ce que
vous appelez la prière.

— Combien je vous plains ! murmura Noella.

Il enveloppa d'un regard ému le charmant
visage soudain attristé.

— Oui, plaignez-moi, car il doit être doux
de penser qu'il existe au-dessus de nous un
être tout-puissant, tout bon, vers qui nous pouvons crier aux heures de détresse morale. Certes,
je crois avoir une âme énergique, peu accessible
au découragement, mais il est des moments où la
pauvre humanité se sent si faible, si petite !
Mon oncle, n'ayant par lui-même aucune
croyance, m'a élevé sans religion, en se disant
qu'arrivé à l'âge d'homme, j'étudierais, je choi-
sirais. Mais, tout occupé de mon travail, je n'y
ai pas songé encore.

— Pourtant, c'est une affaire si grave ! dit
Noella en joignant les mains. Cette vie terrestre
est si courte, tellement traversée d'épreuves et
de tentations ! Et même, si vous arrivez à la
vérité, vous aurez toujours été privé des émo-

tions de l'enfance chrétienne, vous n'aurez pas
ces souvenirs qui subsistent même chez les moins
fervents. Ce sont là cependant de si douces
choses !

— Je m'en doute, dit-il gravement. Mais mon
oncle a été logique, puisqu'il ne croyait pas
lui-même.

— Eh bien ! plus de musique ? demanda du
dehors la voix de M. Dugand ; Mlle Noella nous
avait promis cette romance de Mendelssohn que
j'aime tant...

Noella se remit au piano, elle joua comme
jamais elle ne l'avait fait encore ce morceau
favori du vieillard. Son âme était émue de l'aveu
si sincère que venait de faire Stanislas Dugand,
elle s'attristait de voir loin de toute religion
cette âme qu'elle sentait très haute, profondément loyale. Mais Dieu, précisément à cause de
cette droiture, ne lui ferait-il pas la grâce d'atteindre à la vérité ?

— Comme vous avez bien joué ce soir ! dit
la voix un peu frémissante de Stanislas lorsqu'elle se leva du piano. Je souhaiterais vous
entendre toujours.

Elle rougit un peu et se mit à rire.

— Vous êtes bien indulgent, monsieur ! C'est
chose méritoire de votre part, car, dans vos
voyages, vous avez été à même d'entendre des
artistes.

— Vous ne vous doutez donc pas, mademoiselle, que vous êtes artiste vous-même ? Jamais

je n'ai entendu un jeu qui me fît aussi profondément vibrer.

De nouveau, une légère teinte pourpre envahit le teint de Noella. Elle savait Stanislas fort difficile en matière d'art et peu facilement complimenteur. Aussi son appréciation était-elle extrêmement flatteuse, même pour la modeste Noella, surtout dite sur ce ton d'enthousiaste conviction.

Elle se dirigea vers le dehors, et Stanislas la suivit. Ils s'assirent en face de M. Dugand et de Mme des Landies. Dans le jour tombant, la belle physionomie énergique du jeune ingénieur et le délicat visage de Noella s'estompaient l'un près de l'autre. Mme des Landies les regardait pensivement, et son visage fatigué s'éclairait un peu au reflet d'une douce pensée.

— Combien vous êtes heureux d'avoir un tel neveu ! murmura-t-elle en se penchant à l'oreille de M. Dugand. Plus nous le connaissons, plus nous l'apprécions.

Un éclair de joie orgueilleuse passa dans le regard froid du vieillard.

— Oui, c'est un homme comme on en voit peu, dit-il lentement. La nature était magnifique, la culture a été facile. Maintenant, il est tel que je l'ai rêvé, et prêt pour la lutte.

Un bonheur triomphant vibrait dans sa voix, et Mme des Landies s'en étonna un peu, vu l'ordinaire impassibilité du vieillard.

II

Entre âmes sympathiques

Les vacances étaient à leur dernière période, et les jeunes gens, profitant des journées moins chaudes, s'empressaient d'organiser quelques excursions plus longues. Noella y prenait généralement part, ses élèves étant, pour la plupart, en villégiature. Sa jeunesse, privée de distractions, s'était épanouie pendant ces deux mois, elle avait laissé fréquemment paraître la charmante gaieté trop souvent étouffée par les préoccupations de tout genre. Son cœur éprouvait même à certains moments une impression d'allégresse inexpliquée qu'elle ne cherchait pas à approfondir.

Stanislas devenait de plus en plus l'intime de la maison. Une profonde amitié l'unissait maintenant à Pierre, les enfants étaient fous de lui et se lamentaient déjà en songeant au jour, probablement prochain, où il s'éloignerait.

— Pas en Amérique, au moins, dites, monsieur Dugand ? demandait Raoul en se pendant à son bras.

— Je cherche de préférence une position en

France, mais, enfin, si je trouve mieux ailleurs...
Allons, ne faites pas cette tête désolée, mon
ami Raoul, j'en ai encore pour un peu de temps
avant de vous quitter. En attendant, organisons
donc quelque chose pour bien remplir la fin de
de nos vacances.

Un jour, Stanislas emmena la famille des
Landies à Argelès, dans l'automobile d'un ingénieur américain connu par lui aux Etats-Unis
et retrouvé à Pau. Ils parcoururent, sous un
ciel idéal, la délicieuse vallée et revinrent déjeuner un peu tard dans la petite ville pyrénéenne.

Tandis qu'ils prenaient le café sur la terrasse
de l'hôtel de France, Stanislas, qui regardait
discrètement Noella dont le regard pensif se
perdait vers les montagnes voilées de brume
dorée, dit tout à coup avec un sourire :

— Mademoiselle Noella, voulez-vous me permettre de réaliser votre souhait ?

Elle le regarda avec un peu de surprise.

— Mon souhait ?

— Oui, celui que vous — et Pierre aussi —
formez au fond de votre cœur. Rien n'est plus
facile que de nous arrêter à Lourdes, au retour.

Il vit, au rayonnement de son regard, qu'il
avait bien deviné.

— Oh ! merci, monsieur ! Oui, nous serons
tous si heureux de nous agenouiller quelques
instants devant la Grotte bénie ! Mais nous
n'aurions osé vous le demander.

— Je serai, au contraire, très heureux de connaître ce lieu de pèlerinage si fameux. Allons, Raoul, mademoiselle Vitaline, en route ! Je vous emmène à Lourdes !

C'était une fin d'après-midi superbe. Le soleil, déjà déclinant, enveloppait la basilique d'une clarté mourante ; les hauteurs, au delà, se teintaient de rose pâle ou se voilaient de brume claire... Sur l'esplanade, la foule des pèlerins circulait, paisible, mêlant les pittoresques costumes bretons aux larges coiffes limousines et aux sombres nœuds d'Alsace.

Vitaline et Raoul marchaient en avant, Mme des Landies, ses aînés et l'ingénieur suivaient silencieux... Stanislas et Noella, absorbés dans leurs pensées, ralentirent un instant le pas sans s'en apercevoir. Stanislas dit tout à coup :

— Je sens vraiment ici une atmosphère particulière. C'est probablement celle qui émane de toute croyance sincère, quelle qu'elle soit.

Noella secoua doucement la tête.

— Il y a plus que cela ici. L'influence que vous subissez à votre insu, comme tant d'autres incroyants, est celle du surnaturel divin qui est toute l'histoire de Lourdes. Ici, l'âme est émue, quoi qu'elle fasse, par l'ambiance de prières, de souffrances, d'espoir, de foi ardente, de résignation héroïque. Dieu s'est plus particulièrement manifesté ici, et l'homme le sent, malgré tout.

— Oui, peut-être, murmura Stanislas.

Une impression de bonheur passa dans l'âme de Noella. Elle soupçonnait qu'une évolution se produisait dans cette nature droite, tenue jusque-là hors de toute croyance. Plusieurs fois, Stanislas, en causant avec elle ou Pierre, avait émis quelques pensées qui l'avaient frappée.

Ils étaient devant la Grotte. Dans l'excavation sombre, les cierges innombrables mettaient un ruissellement de lumière. Devant la grille, une foule recueillie priait. Noella s'agenouilla près de sa mère, et Stanislas demeura debout à côté d'elle, les yeux fixés sur la statue de celle qui éclaire ce pays privilégié des flammes de sa maternelle charité, puisée au cœur de son divin Fils.

Puis il abaissa ce regard vers Noella. Elle priait, les mains jointes, les yeux levés vers la Vierge. Ses lèvres tremblaient un peu en murmurant des invocations.

Mme des Landies se leva, la jeune fille l'imita. Noella se tourna lentement vers Stanislas, il rencontra ces yeux bleus si beaux, si purs, où brillaient en ce moment une intense lumière et aussi une petite larme. Il se pencha un peu en demandant d'une voix profondément émue :

— Avez-vous prié pour moi, mademoiselle Noella ?

Elle sourit doucement.

— Oui, j'ai demandé pour vous la lumière. Dieu ne la refuse jamais aux âmes de bonne volonté.

— Et croyez-vous que je sois de celles-là ?

— Oh ! j'en suis si certaine ! dit-elle avec un élan qui fit monter un peu de rose à son teint blanc.

Un rayonnement joyeux passa dans le regard de Stanislas.

— Comment vous remercier d'une telle confiance ! dit-il avec une émotion profonde qui fit vibrer d'un bonheur irraisonné le cœur de Noella.

....

La famille des Landies était réunie cette après-midi-là sous le berceau de feuillage qui était, dans le jardin du pavillon, son domaine particulier. M. Adrien Dugand se trouvait là aussi, feuilletant d'un air distrait une revue scientifique, échangeant de temps à autre de courtes réflexions avec Mme des Landies, Noella ou Pierre. Il semblait soucieux, comme il l'était souvent, d'ailleurs, sa main passait fréquemment sur son front — signe de grande préoccupation.

— M. Stanislas, dit tout à coup Mme des Landies, n'a-t-il encore rien décidé pour sa position ?

— Non, rien encore. On lui propose des affaires superbes, en Amérique, en Autriche, en Roumanie, mais il veut réfléchir longuement.

— Je crois qu'il préférerait quelque chose en France, dit Pierre.

— Oui, je le sais. Moi aussi, du reste. Mais ce qu'on lui offre est assez médiocre. Ah ! le voici !

Stanislas apparaissait dans la petite allée conduisant au berceau. Il tenait à la main une lettre dépliée qu'il agitait d'un air joyeux.

— Une proposition superbe, mon oncle ! Et en France, cette fois !

— Venez nous raconter cela, Stanislas, dit Pierre en avançant une chaise pour son ami. Précisément, nous en causions.

— De quoi s'agit-il, Stanislas ? demanda le vieillard.

— Voici, mon oncle. Un des excellents amis qui veulent bien s'intéresser à moi me signale une occasion inespérée. Un Américain, grand amateur d'automobilisme, veut fonder, en coopération avec un ami, une maison de construction à la tête de laquelle il mettrait un ingénieur. Or, on m'offre ce poste. Et vous savez que j'ai toujours rêvé de m'occuper d'automobilisme. Les appointements seraient fort beaux, et j'aurais là une très grande indépendance, ces messieurs n'étant pas particulièrement ferrés sur la matière.

— Mais vous parlez d'un Américain. Où compte-t-il établir son usine ? demanda M. Dugand.

Il ne tutoyait jamais son neveu, et les des Landies avaient remarqué qu'il le traitait avec une sorte de réserve respectueuse.

— M. Holker habite en France, au château d'Eyrans, en Périgord. L'usine a été construite non loin de là, à égale distance de ce château et de Saint-Pierre de Sailles, le village où demeure M. de Ravines, l'associé de mon Américain.

— Saint-Pierre de Sailles ! répéta M. Dugand d'une voix sourde.

— Mais ce nom me rappelle quelque chose ! dit Mme des Landies. J'ai dû l'entendre autrefois... Ah ! j'y suis ! C'est là, au château de Sailles, qu'habitait cette pauvre Mme de Vaulan, morte si vite après la mystérieuse disparition de son fils.

Les yeux gris-pâle de M. Dugand se levèrent, enveloppant Mme des Landies d'un regard rapide et perçant.

— Comment cela ? Racontez-nous ce qui s'est passé, maman ? s'écrièrent Vitaline et Raoul.

— J'en sais bien peu de chose, mes enfants. Mme de Vaulan, après avoir habité deux ans à Virènes, dans la maison voisine de la nôtre, avait été appelée par un parent de son mari, le duc de Sailles, qui voulait faire du petit Ghislain son héritier. Elle m'écrivait parfois, et je m'inquiétais en trouvant dans ses lettres une tristesse de plus en plus grande. Elle ne se plaignait de rien, sauf parfois de sa santé, très chancelante. Un jour, par le journal, j'appris que Ghislain avait disparu, qu'il était impossi-

ble de le retrouver et que sa malheureuse mère
en était morte.

— Et l'enfant a-t-il été retrouvé ? demanda
Stanislas.

— Non... du moins, je n'en ai jamais entendu
parler.

— Ghislain ? Ce nom me rappelle quelque
chose, murmura Stanislas.

— Avez-vous vraiment envie d'accepter cette
proposition ? interrompit un peu brusquement
M. Dugand. Il me semble que d'autres plus
avantageuses vous ont été faites.

— Oh ! à peu de chose près, et toutes hors
de France.

— Cependant, lorsque vous êtes arrivé ici,
vous parliez plutôt de retourner en Amérique.

Une lueur douce passa dans les belles prunelles brunes de Stanislas.

— Oui, alors, j'étais indifférent à telle ou
telle résidence. Aujourd'hui, je préfère la France... Vraiment, cette proposition me plaît beaucoup. Je vais demander à mon correspondant
des renseignements complémentaires.

— Vous réfléchirez, dit brièvement le vieillard en reprenant sa revue.

— Et en attendant, venez faire une partie
de croquet ! s'écria Raoul en bondissant de sa
chaise.

— Allons, dit complaisamment Stanislas. Quels
seront nos partenaires ?

Pierre se récusa, ayant un travail pressé à

terminer, et ce fut Noella qui se joignit à l'ingénieur, à Vitaline et à Raoul.

Au bout d'une demi-heure, Mme des Landies rappela ces deux derniers, l'heure de l'étude ayant sonné. Noella, aidée de Stanislas, se mit en devoir de ranger arceaux, boules et maillets.

— Vous manquerez bien aux enfants, monsieur, dit Noella, tout en mettant ces objets dans la boîte ouverte devant elle.

— Et moi, je regretterai tant mes voisins ! J'ai toujours été privé des joies de la famille, et, pendant les heures que j'ai passées ici, j'ai eu parfois l'illusion d'en avoir une.

— Vous êtes orphelin depuis très lontemps ?

— Je n'ai pas connu mon père, et j'avais cinq ou six ans lorsque ma mère mourut. Je vois un peu, comme dans une brume, sa physionomie très douce, très délicate, ses cheveux blonds... Ces souvenirs de ma première enfance demeurent excessivement vagues. Parfois j'ai des réminiscences singulières, tout à fait incompréhensibles. Devant mes yeux passent des visages divers : un vieillard, une femme au teint très blanc et aux yeux froids, une autre à la peau brune, vêtue d'une tunique éclatante. La silhouette d'un château féodal, des salles très vastes, une grande chambre majestueuse m'apparaissent encore, telles que de brèves lueurs... Visions bizarres, car ma première enfance s'est écoulée en Amérique, seul avec mon oncle qui m'a témoigné — je dois le reconnaître haute-

ment — un dévouement admirable. Je lui dois
d'être un être vigoureux de corps et cultivé
d'esprit, je lui dois l'éducation forte et étendue
dont je comprends tout le prix aujourd'hui.
De près ou de loin, il a toujours veillé sur moi
avec une sollicitude infatigable pour laquelle je
lui garderai toute ma vie la plus profonde reconnaissance. Mais mon oncle, si bon au fond,
est d'un caractère très froid, excessivement fermé. Il n'y a jamais eu entre nous d'expansion
et très peu d'intimité. Mes efforts en ce sens
se sont toujours heurtés à une réserve singulière.

— Oui, j'ai remarqué cette attitude de M.
Dugand. Elle doit être, en effet, un peu pénible pour vous, surtout si vous n'avez aucune
autre famille.

— Non, personne. Et nul plus que moi, cependant, n'apprécie les douceurs de la vie fa-
miliale.

Sous le berceau, M. Adrien Dugand songeait,
les doigts un peu crispés sur sa revue. Son regard, se levant tout à coup, se posa sur les deux
jeunes gens debout un peu plus loin, dans la
claire lumière de cette fin d'après-midi, et
absorbés dans leur causerie.

Les traits de M. Dugand se contractèrent
légèrement. Il appela son neveu avec une sorte
d'impatience, et se remit à causer de la position
proposée au jeune homme, pour en arriver à
cette conclusion :

— Après tout, je crois que ce poste serait agréable pour vous, et je vous conseille de prendre le plus tôt possible les renseignements désirables.

A Rocherouge

Mlle Charlotte de Ravines, sa toilette achevée, ouvrit la porte de sa chambre et descendit l'escalier en enfilant ses gants clairs.

— Mme le baronne Van Hottem attend mademoiselle dans le petit salon, dit la femme de chambre qu'elle rencontra dans le vestibule.

Charlotte ouvrit une porte et entra dans une jolie pièce claire, où son apparition fut saluée par un « enfin, ma chère petite ! » prononcé par une dame très grande, douée d'un remarquable embonpoint, qui se trouvait assise sur un petit canapé près de la fenêtre.

En face de cette dame, dont la toilette d'une élégance sévère et riche annonçait une visiteuse, se trouvait une autre personne à peu près du même âge, mince et brune, au visage pâle et semé de nombreuses rides. Un peu en arrière, se tenait debout un jeune homme, petit et brun aussi, de mine aimable et spirituelle.

— Vous ai-je fait attendre, chère madame ? demanda gracieusement Charlotte en serrant la main que lui tendait la visiteuse.

— Oh ! bien peu, mon enfant ! Ainsi, monsieur Maurice, vous ne vous décidez pas à nous accompagner dans notre promenade ?

— Réellement, madame, je ne le puis. J'attends M. Dugand, l'ingénieur de l'usine d'Eyrans, qui doit venir me chercher en automobile pour nous rendre à ces mines nouvellement découvertes dont on fait tant de bruit.

— Eh bien ! tu lui feras dire que tu as changé d'avis, voilà tout ! dit Charlotte avec un léger mouvement d'épaules. Tu n'as pas à prendre tant de gants avec un subalterne, je suppose !

— Un subalterne ! Je t'avoue que je n'ai pas l'idée de considérer ainsi M. Dugand, si remarquablement doué de toutes manières, et dont la distinction de grand seigneur fait mon envie.

Une lueur irritée passa dans le regard de Charlotte.

— Oui, tu es en admiration devant lui ! C'est ridicule, mon pauvre Maurice !

— Et toi, tu lui en veux parce qu'il ne paraît pas se soucier de toi plus que ne l'exige la stricte politesse, et qu'il est même à ton égard d'une froideur, d'une indifférence !

— Voyons, Maurice, que racontes-tu ! dit la dame brune d'un ton mécontent.

Charlotte était devenue pourpre et pinçait violemment les lèvres.

— Je me soucie vraiment bien des sentiments de cet individu à mon égard ! dit-elle

d'une voix tremblante de colère. Va-t'en donc
avec lui, puisque tu préfères sa société à la
nôtre !

— Ai-je dit cela ? Mme Van Hottem, plus
sensée que toi, comprendra que je ne puis, sans
impolitesse, manquer de me trouver à ce rendez-
vous. Et toi-même, il eût été beaucoup plus
correct de te trouver ici tout à l'heure, pour
recevoir la nouvelle institutrice de Marcelle.

— Moi, manquer une promenade pour une
institutrice ! Tu te moques, je suppose, ou alors
tu me connais bien peu.

Le jeune homme eut un petit sourire railleur.

— Eh ! eh ! Peut-être pas tout au fond, mais
suffisamment pour savoir qu'en effet certaines
catégories de gens n'existent pas à tes yeux.

— Eh bien ! Ai-je tort ? dites, madame, ai-
je tort ? s'écria Charlotte en se tournant vers la
baronne Van Hottem qui écoutait, silencieuse,
la conversation peu cordiale du frère et de la
sœur.

— Non, mon enfant, je vous approuve ; M.
d'Aubars est un peu trop égalitaire. Mais nous
nous attardons et l'heure s'avance. Au revoir,
chère madame, et venez donc un peu plus souvent au château. Vous aussi, monsieur Maurice, Pieter serait charmé de chasser avec vous.

Elle se leva, tendit la main à Mme de Ravines
et s'éloigna avec Charlotte et Maurice, qui les
accompagnait jusqu'à la voiture de la baronne.

Au moment où ils arrivaient sur le perron,

une automobile s'arrêtait devant la maison. Le
jeune homme qui tenait le volant de direction
sauta à terre, d'un mouvement plein de souple
élégance, et se découvrit pour saluer les deux
dames et leur compagnon.

— Ah ! vous voici, monsieur Dugand ! dit
cordialement Maurice. Venez donc, que je vous
présente à la baronne Van Hottem !

Stanislas gravit les marches du perron et
s'inclina devant la baronne. En se redressant,
il eut un léger tressaillement lorsque son regard
rencontra le visage de Mme Van Hottem... Que
lui rappelait donc ce visage, ce teint demeuré
très blanc malgré de nombreuses rides, ces
yeux bleu pâle, doux et froids ?

Et pourquoi ce regard, en s'attachant sur lui,
prenait-il soudain, — l'espace de quelques secondes — cette expression de stupeur, d'effroi
intense ?

Il avait rêvé, car il n'avait devant lui qu'une
femme froidement polie et indifférente, qui lui
adressait quelques phrases banales et semblait
surtout pressée de rejoindre sa voiture — moins
encore toutefois que Charlotte, car la jeune
fille, sans attendre Mme Van Hottem, était
déjà près de la victoria.

Maurice alla aider la baronne à monter en
voiture, puis il vint rejoindre Stanislas demeuré
sur le perron et lui prit familièrement le bras.

— Un de nos voisins m'a exprimé son désir
d'être de notre petite excursion, et si cela ne

vous contrarie pas, nous allons l'attendre un peu.

— Mais certainement, rien ne nous presse, répondit Stanislas en suivant Maurice dans le petit salon.

Il salua Mme de Ravines, et la conversation s'engagea, bientôt interrompue par l'entrée de Marcelle, blonde fillette de douze ans qui avait le frais visage et les yeux rieurs de Maurice, son demi-frère — Mme d'Aubars s'était remariée à un propriétaire du pays, un an environ après la mort de Mme de Vaulan.

— Eh bien ! Marcelle, tu viens attendre ton institutrice ? dit Maurice en attirant à lui sa jeune sœur. Pourvu qu'elle te plaise ! Tu es si difficile !

— Oh ! difficile ! Je voudrais seulement qu'elle soit bonne et aimable, et puis aussi jolie.

— Là, tout réuni ! Quand je te disais ! Et je parie qu'elle sera un laideron !

— Méchant Maurice ! Mais non, Mme Donan, qui l'a recommandée à maman, écrit au contraire qu'elle est charmante. Seulement, elle ajoute qu'elle est sérieuse, très sérieuse... et alors, si on ne peut pas rire un peu !

— Mais on peut être sérieux et fort gai, mademoiselle, observa en souriant Stanislas.

— Oui, c'est vrai, à preuve vous. Espérons que Mlle des Landies sera ainsi.

Stanislas sursauta un peu.

— Serait-ce celle que je connais ? Mlle Noella des Landies, de Pau ?

— Noella, c'est cela, en effet, dit Mme de Ravines. Vous l'avez connue à Pau, monsieur ?

— Oui, madame, la famille des Landies habitait l'appartement contigu à celui de mon oncle. Je puis donc d'ores et déjà vous rassurer, mademoiselle Marcelle : Mlle des Landies possède au plus haut degré toutes les qualités désirées par vous, même la beauté, et surtout le charme, don supérieur encore. Mais je m'étonne qu'elle ait songé à devenir institutrice. Elle donnait des leçons de piano.

— Oui, mais elle en avait peu, les professeurs étant trop nombreux. Mon amie, Mme Donan, qui la connaît un peu, lui ayant proposé ce poste d'institutrice, elle a accepté, trouvant sans doute cette situation plus avantageuse. Je tenais à avoir pour Marcelle quelqu'un de très musicien, l'enfant ayant de remarquables dispositions qu'il faut cultiver de bonne heure. Quelle opinion avez-vous du talent de cette jeune fille, monsieur ?

— Madame, je puis dire sans exagération que Mlle des Landies est une véritable artiste.

— Tant mieux, c'est ce que je désirais. Et Charlotte, qui est d'une jolie force, sera charmée de faire de la musique avec elle.

Un pli se forma instantanément sur le front de Stanislas.

— Pauvre enfant ! pensa-t-il avec un serrement de cœur.

Il revoyait le froid visage de Charlotte de

Ravines, sa bouche mince et dédaigneuse, ses
yeux bleus aux lueurs dures. Il entendait la
voix mordante disant avec un mépris ironique :

— Tu tiens donc bien à me présenter ton
petit ingénieur, Maurice ? Tu dois pourtant penser que je m'en soucie fort peu !

— Tu as tort, car « mon petit ingénieur »
est, physiquement du moins — car je ne le
connais pas encore autrement, — l'homme le
plus remarquable qu'il m'ait été donné de rencontrer. Peut-être arrivera-t-il bien vite à faire
ta conquête, ma dédaigneuse sœur.

Un ironique éclat de rire répondit à cette
dernière phrase.

— Tu es stupide, mon pauvre Maurice, et tu
me connais vraiment bien peu ! Penses-tu, sérieusement, que je m'occuperai une seule minute de ce que peut penser ce subalterne ?

Ce dialogue entre le frère et la sœur avait été
entendu par Stanislas, comme il passait, rêveur
et peu pressé, le long de la haie enclavant le
jardin du castel de Rocherouge, pour faire sa
visite d'arrivée à Mme de Ravines. Au premier
moment, un peu de colère était montée en lui.
Mais bien vite, il s'était ressaisi et avait levé les
épaules en souriant ironiquement.

— Bah ! que m'importe l'opinion de cette
jeune personne orgueilleuse et probablement
fort sotte ! avait-il pensé judicieusement. Qu'elle
conserve son dédain vaniteux, mais je lui mon-

trerai comment sait se conduire ce subalterne
qu'elle méprise.

Et, lorsqu'il avait été présenté par Maurice
d'Aubars à sa sœur, il s'était montré si froidement correct, si poliment hautain, que Charlotte, impressionnée dès l'abord, quoi qu'elle
en eût, par la haute mine et l'élégance aristocratique du nouvel ingénieur, avait senti sa
vanité profondément blessée. Elle s'était d'abord
juré de lui faire changer d'attitude, et, dans ce
but, avait déployé de savantes petites manœuvres de coquetterie. Mais quelle mortification
de s'apercevoir qu'elle n'excitait, chez Stanislas,
qu'une indifférence légèrement railleuse !

Et ce Maurice, observateur malicieux, qui lui
avait si méchamment glissé à l'oreille :

— C'est donc toi qui veux faire sa conquête ?
Hein ! quand je te le disais !

De ce moment, cette nature vaniteuse et ran-
cunière avait voué à Stanislas une sorte de haine.
Le jeune homme s'en souciait assez peu, trouvant d'autre part, chez tous les membres de la
famille, une réelle sympathie. Mais en apprenant que Noella allait entrer dans cette maison
comme institutrice, il lui venait la pensée douloureuse qu'elle serait exposée aux dédains et
aux duretés de cette jeune fille très vaine de sa
beauté, et qui ne manquerait pas de devenir
bientôt jalouse de Mlle des Landies.

— Pauvre petite Noella, si charmante, si délicieusement bonne ! pensa-t-il. Si j'osais ! si

je savais qu'elle veuille bien me confier sa vie,
bien que je ne sois encore qu'un incroyant !

Le voisin arrivait en ce moment, et un peu
après l'automobile s'éloignait, conduite par Stanislas.

Bien que l'on fût à la fin de novembre, l'atmosphère était douce, presque tiède. Le soleil
semblait avoir aujourd'hui emprunté un renou-
veau de force avant d'entrer dans la période
hivernale, il chauffait la terre brune, nouvellement labourée et semée, il éclairait, à travers
les squelettes des arbres dépouillés, le sol bosselé
des chênaies. Et, tel qu'une auréole, il enveloppait de ses rayons d'or clair les hautes tours du
château de Sailles, orgueilleusement perché sur
son roc.

Inconsciemment, Stanislas avait ralenti l'allure de l'automobile, et son regard, comme
magnétiquement attiré, s'attachait sur la demeure féodale.

— C'est vraiment bizarre ! murmura-t-il tout
à coup.

— Quoi donc ? demanda Maurice.

— Les souvenirs que réveille en moi ce château. Figurez-vous qu'à mon arrivée ici, en
l'apercevant pour la première fois, j'ai pensé
aussitôt : « Mais je connais cela ! »... Et de fait,
depuis plusieurs années, cette vision, absolument exacte, existait dans mon esprit. C'est
une chose vraiment singulière, car jamais je
n'étais venu dans ce pays.

— Tout enfant, peut-être ?

— Non, il paraît qu'alors je n'ai pas quitté
l'Amérique. Ce château appartient à la baronne
Van Hottem, m'a-t-on dit ?

— Ou plus exactement à son fils. C'est lui
que le duc de Sailles a fait son héritier, n'ayant
plus aucun descendant de sa race, après la disparition jamais expliquée de Ghislain de Vaulan,
son petit-cousin.

— Oui, je me souviens, j'ai entendu raconter
cette triste histoire. Cette dame Van Hottem
n'était donc pas parente du duc de Sailles ?

— Non, la fille de sa femme seulement. Une
personne très intelligente, très sérieuse, peu
sympathique pourtant, à mon avis. Cependant, à
la maison, on en fait le plus grand cas, et ma
sœur, en particulier, est férue de la châtelaine
de Sailles. Il est vrai que... Connaissez-vous
le baron Van Hottem ?

— Je n'ai pas cet honneur.

— C'est dommage ! dit Maurice en riant ; à
la première occasion je vous présenterai l'un à
l'autre. Vous aurez le plaisir de voir un imbécile
de première qualité et un stupide poseur, par
aggravation.

— Vous arrangez bien votre voisin, monsieur
d'Aubars !

— Vous verrez que je n'exagère rien. Ah !
voici notre voiture. Voyons, ramène-t-elle l'institutrice ?

Le cœur de Stanislas se mit à battre plus vite.

Ses yeux, meilleurs que ceux de Maurice, avaient déjà distingué l'élégante silhouette féminine assise sur les coussins du landau de Rocherouge.

Noella l'avait reconnu aussi ; un peu de rose monta à ses joues pâles, et ses yeux qui avaient versé ces derniers mois bien des larmes secrètes eurent un rayonnement heureux tandis qu'elle répondait au profond salut de Stanislas, qui avait ralenti au passage de la voiture.

— Mais c'est qu'elle est tout à fait charmante ! dit Maurice en se tournant vers l'ingénieur. Je pense que Marcelle n'aura plus à se plaindre ! — et que Charlotte trouvera à exercer sa jalousie ! acheva-t-il entre ses dents.

IV

Les désirs de Stanislas

Stanislas Dugand s'en allait à travers champs,
le fusil sur l'épaule. Au-dessus de lui, le ciel
s'assombrissait considérablement de minute en
minute. Mais le jeune homme ne s'en apercevait
aucunement, non plus qu'il ne se souciait des
faits et gestes de son chien, un braque d'Au-
vergne qui quêtait pourtant avec conscience.
Stanislas songeait en ce moment au bizarre
silence de son oncle. Un mois auparavant, le
vieillard lui avait écrit qu'il s'absentait pour
affaires, sans indiquer aucune adresse. Depuis
lors, l'ingénieur n'en avait pas eu de nouvelles,
et les lettres envoyées à Pau étaient restées
sans réponse.

Par Noella, Stanislas savait que le vieillard
n'avait pas réintégré son domicile. Mme des
Landies, comme lui, ignorait le but de son
voyage. Et l'ingénieur s'inquiétait vraiment
maintenant en voyant se prolonger cet inexplicable silence.

Une autre raison lui faisait souhaiter ardemment le retour de M. Dugand. Il voulait parler

à son unique parent de son désir de demander
la main de Noella — désir augmenté depuis
l'arrivée de la jeune fille à Rocherouge, car
il savait qu'elle souffrait, la charmante créature secrètement et profondément aimée de
lui, il devinait que les épines ne lui manquaient
pas dans sa nouvelle situation, et que, surtout,
elle s'inquiétait des siens demeurés à Pau, de sa
mère, toujours souffrante, de Vitaline, qui s'ané-
miait beaucoup.

Stanislas songeait à tout cela en suivant machinalement son chien qui s'en allait toujours
le nez au sol. Le jeune homme s'avisa enfin
de la menace du temps en sentant une goutte de
pluie sur son visage. Coupant au plus court, il
gagna un sentier creusé d'ornières et se mit à
marcher rapidement.

Derrière la barrière d'un pré surgit tout à
coup la tête mutine de Marcelle de Ravines,
puis le joli visage de Noella.

— Ah ! monsieur Dugand ! s'exclama la fillette. Vous allez être mouillé comme nous !

— N'y a-t-il aucun endroit où nous puissions
trouver un abri, monsieur ? demanda Noella,
tout en répondant au salut de l'ingénieur.

— Si, mademoiselle, je crois que nous devons
trouver près d'ici une sorte de hangar. Je vais
vous conduire de ce côté, si vous voulez bien
me le permettre.

L'institutrice et son élève se laissèrent guider
le long du sentier. La pluie tombait déjà, en

grosses gouttes serrées. Mais, au bord de la
route, le hangar apparut, fermé de trois côtés,
« très confortable », déclara Marcelle en s'asseyant sur un fagot.

Presque aussitôt, ce fut un déluge. Un galop
de cheval retentit tout à coup, un cavalier apparut près du hangar et, sautant à terre, entra
sous l'abri avec son cheval aussi ruisselant que
lui-même.

— Ah ! c'est ce stupide baron Van Hottem !
chuchota Marcelle à l'oreille de son institutrice.

— Marcelle ! murmura Noella avec un regard
sévère.

L'arrivant était un jeune homme petit et
maigre, au visage blême garni d'une courte
barbe blond pâle. Mis selon le dernier cri de la
mode, ce personnage paraissait doué d'une remarquable suffisance et d'une morgue non
moins grande.

— Ah ! Mademoiselle de Ravines ! dit-il en
saluant Marcelle. Voilà une rencontre inatten-
due ! Et je vois que vous êtes dans la même
position que moi.

— Sauf que vous êtes beaucoup plus trempé.
Mais il faut que je fasse les présentations...

Et, très sérieuse, Marcelle désigna :

— Le baron Van Hottem... Mlle des Landies,
qui veut bien s'occuper de mon instruction...
M. Dugand, ingénieur de l'usine d'Eyrans.

Le baron salua légèrement, de l'air d'un

homme qui honore infiniment un prochain in-
férieur.

— Vous êtes déjà une parfaite femme du
monde, mademoiselle Marcelle, dit-il avec un
rire qui lui donna une expression plus inintel-
ligente encore. Je crois que Mlle Charlotte ne
trouverait pas mérités aujourd'hui les reproches
qu'elle vous fait si souvent.

— Charlotte est une poseuse ! s'écria la fillette en exécutant une pirouette.

— Marcelle ! dit Noella d'un ton de reproche.

M. Van Hottem se mit à rire de nouveau.

— Toujours la même, mademoiselle Marcelle !
Heureusement pour vous que je n'irai pas répéter ces amabilités à votre sœur !

— Oh ! vous pouvez bien le lui dire ! Je lui
ai répété cette vérité assez souvent.

— Voyons, Marcelle, taisez-vous ! dit sévèrement Noella.

— Vous aurez de la chance, mademoiselle, si
vous venez à bout de ce jeune démon, dit le
baron en faisant exécuter à sa canne un mou-
linet qu'il jugeait fort élégant, sans doute.
D'autres avant vous y ont perdu leur latin.

— Encore aurait-il fallu qu'elles possédassent
cette langue !... Pour Mlle des Landies, ce pourrait être exact, car elle sait le latin. Mais
j'espère qu'elle le conservera près de moi, et
qu'elle ne me trouvera pas trop « démon » comme vous dites si aimablement, monsieur.

— Vous êtes vexée, mademoiselle Marcelle ?

Allons, ne froncez pas les sourcils et faisons la paix. C'est toujours pour samedi, la petite fête que donnent vos parents à l'occasion de l'anniversaire de Mlle Charlotte ?

— Toujours. Y viendrez-vous, monsieur ?

Ceci s'adressait à Stanislas qui écoutait distraitement.

— Si mon travail me le permet, oui, mademoiselle.

— Une drôle de lubie de M. Holker, que cette construction d'automobiles ! dit du bout des lèvres M. Van Hottem. Quelle idée de se lancer dans l'industrie !

— Une fort belle idée, à mon avis, monsieur, dit froidement Stanislas. M. Holker emploie ainsi utilement ses capitaux, pour le plus grand bien de la contrée.

Le baron pinça les lèvres et jeta un regard de travers sur celui qui se permettait ainsi d'émettre une opinion contraire à la sienne.

— Une idée ridicule ! fit-il en appuyant sur les mots. Et il a entraîné M. de Ravines, qui adore tout ce qui a trait à l'automobilisme.

Là-dessus, il se mit à discourir, fort sottement, du reste. Devant les yeux sévères de Noella, Marcelle se retenait à grand'peine de lancer quelques mots piquants.

Stanislas écoutait, impassible, les bras croisés, un sourire un peu railleur soulevant sa moustache. Enfin, le ciel s'éclaicissant, le baron se remit en selle et s'éloigna au trot, après avoir adressé un salut fort court à Noella et à l'ingénieur.

— Monte-t-il mal! Oh! mais, monte-t-il mal! murmura Marcelle en étouffant un éclat de rire. Etre poseur avec une tournure pareille, c'est un comble.

— Les poseurs, à quelque catégorie qu'ils appartiennent, sont toujours stupides. Mais vous me paraissez, mademoiselle Marcelle, animée de sentiments peu bienveillants à l'égard de votre voisin ?

— Dites-donc, le trouvez-vous sympathique, vous ? Il n'y a probablement que Charlotte pour prétendre qu'il est charmant. Maurice assure que c'est parce qu'elle voudrait devenir la baronne Van Hottem. Oh! Jamais je ne pourrai me faire à l'idée d'avoir un pareil beau-frère! Je lui dirais constamment des choses désagréables, d'abord !

— Mais, Marcelle, avez-vous donc un si détestable caractère ? dit Noella d'un ton mi-sérieux, mi-souriant.

La fillette, se penchant, appuya câlinement sa joue sur la main de son institutrice.

— Oh ! pas avec ceux qui sont bons et aimables, pas avec ceux que j'aime, mademoiselle! Mais ces Van Hottem me sont tellement antipathiques ! Lui surtout, si infatué de sa personne et de sa fortune ! De la première, vous pouvez juger s'il y a lieu d'être fier. Quant à la seconde, il l'a eue par raccroc. Si le petit Ghislain de Vaulan avait vécu, Pieter Van Hottem serait pauvre absolument. Il paraît que le duc de Sailles ne l'aimait pas — je le comprends ! — et s'il l'a fait son héritier, c'est seulement en considération de sa mère, très dévouée à son égard. C'est égal, il est bien dommage que l'autre, le fils de la comtesse de Vaulan, ait disparu ! Il aurait probablement été plus gentil que celui-là. Maman a connu cette pauvre dame, et Maurice se rappelle très bien avoir joué souvent avec le petit Ghislain, qu'il aimait beaucoup.

— Ma mère aussi était très liée avec Mme de Vaulan, avant qu'elle ne fût appelée au château de Sailles, dit Noella. Mais vraiment, n'a-t-on jamais rien su à propos de cette disparition de l'enfant ?

Marcelle secoua négativement la tête.

— Jamais, mademoiselle. Cependant, le duc de Sailles et Mme Van Hottem ont tout fait pour recueillir quelque indice. Le vieux duc mourut deux ans plus tard de chagrin surtout, car il aimait beaucoup cet enfant qui se trouvait le dernier héritier du nom. Il paraît d'ailleurs qu'il était bien charmant, ce petit Ghislain.

— C'est curieux comme ce nom me frappe toujours ! murmura Stanislas.

— Le ciel se découvre tout à fait, partons vite, Marcelle, dit Noella.

Elle tendit la main à l'ingénieur et s'éloigna avec son élève, tandis que Stanislas, son chien

sur les talons, prenait le chemin de l'usine,
intimement heureux de ces courts instants passés
avec celle qui lui était plus profondément chère
chaque jour.

Pour Noella aussi, la rencontre avait été un
réconfort. La sympathie respectueuse de Stanislas lui était infiniment douce, et elle avait
éprouvé une intime satisfaction les deux ou
trois fois où Marcelle était entrée dans la salle
d'étude en disant :

— Je suis contente, papa a ramené M. Dugand et le garde à dîner.

Certes, pendant ces repas, Noella, un peu
tenue à l'écart par ses fonctions, ne pouvait
échanger avec lui que quelques phrases banales ;
mais il lui était néanmoins très doux de voir là
celui que Pierre avait appelé un jour « l'homme
le plus loyal et le plus délicat du monde », de
rencontrer parfois ce regard profond et droit
qui semblait lui dire : « Courage ! »

De ce courage, elle manquait un peu, lui
semblait-il. Si elle avait possédé la force chrétienne nécessaire, ressentirait-elle si vivement
les petites méchancetés dont la gratifiait libé-
ralement l'orgueilleuse Charlotte ? Celle-ci, à
Rocherouge, était l'épine sans cesse prête à
blesser l'institutrice, considérée par elle comme
une inférieure et coupable de posséder un charme bien supérieur à celui de Mlle de Ravines.

Autrement, Noella n'eût trouvé dans cette
demeure que des sympathies, nuancées de dis-

crêtes attentions chez Maurice, enthousiastes
de la part de Marcelle.

Cette dernière ne cachait pas qu'elle adorait
déjà son institutrice, et Noella profitait de cette
affection pour obtenir bien des changements
de l'enfant un peu gâtée, mais douée d'une très
forte dose de volonté. C'est ainsi que, le lendemain de la rencontre avec Stanislas, la jeune
fille avait décidé son élève, ennemie déclarée des
promenades, à se rendre jusqu'à un vieux moulin à vent, fort pittoresquement situé. Après la
pluie de la veille, une éclaircie avait lieu, et
Marcelle déclara de bonne grâce que le temps
était idéal.

— Surtout avec vous, ajouta-t-elle en passant
sa main sous le bras de Noella. Si Maurice et
M. Dugand étaient là aussi, ce serait parfait.

— Je crois que M. Dugand serait extrêmement flatté d'une si ardente sympathie ! dit en
souriant Noella.

— Oh ! je le lui ai dit, vous savez !... Tiens,
qu'est-ce que c'est que cette femme qui arrive
en courant comme une folle ?

L'épithète s'appliquait bien à cette créature
maigre et pâle, aux cheveux grisonnants qui
s'échappaient en mèches désordonnées d'un
mouchoir jaunâtre, aux yeux inquiets et fure-
teurs. En approchant des promeneuses, elle dit
d'une voix un peu rauque :

— Vous n'auriez pas aperçu une jeune fille
boiteuse, en robe grise et en fichu noir ?

Noella secoua la tête.

— Non, je ne l'ai pas vue.

La femme se tordit les mains.

— Où peut-elle être, ma Julienne ? Voilà deux heures que je la cherche ! Ce matin, elle est partie pour faire une course. Je ne voulais pas la laisser aller seule, car ses pauvres jambes sont si faibles ! Mais elle a voulu, elle m'a dit : « Tu as la fièvre, maman, j'irai... » Et elle est partie. Mais depuis longtemps elle devrait être rentrée.

— De quel côté a-t-elle dû se diriger ? demanda Noella, émue de cette angoisse maternelle, bien que l'aspect désordonné de la femme ne prévînt pas en sa faveur.

— C'était vers Saint-Front. Elle en avait pour une heure au plus.

— Peut-être a-t-elle pris par le raccourci ? suggéra Marcelle.

— Le raccourci ! par le ravin aux Loups !... C'est vrai. Je n'y avais pas pensé ! Mais non, jamais elle n'aurait eu l'idée d'aller par là, elle sait le passage dangereux.

— Cependant, il serait raisonnable de chercher là, malgré tout. Le commencement de ce ravin est tout près d'ici, je crois ?

— Oui, là, là !

Déjà la femme s'en allait.

— Allons avec elle, mademoiselle, je voudrais savoir si elle retrouve sa fille.

— Allons, si vous voulez, mon enfant. Nous irons au moulin un autre jour.

D'un peu loin, elles suivirent la mère qui se hâtait. Le ravin commençait à quelques cent mètres. Au début, le sentier était large, sans danger ; mais, peu à peu, il se resserrait.

— Il faut nous arrêter ici, enfant, dit Noella. Ce serait chose imprudente d'aller plus loin.

— Jusqu'au tournant seulement, mademoiselle ! Papa et Maurice me conduisent toujours là.

En cinq minutes, elles étaient au point désigné par Marcelle. En cet endroit, le ravin se rétrécissait, il devenait d'une sauvage horreur, avec les crevasses sombres trouant ses parois de pierre noire, et les arbustes tordus, contournés, dépouillés de leurs feuilles, qui avaient réussi à jeter leurs racines dans les parcelles de terre végétale éparses çà et là.

Là-bas, dans le sentier, très étroit maintenant, la femme allait toujours. Tout à coup, un cri de terreur parvint jusqu'à Noella et Marcelle. Elles virent la femme se pencher, s'agenouiller en tendant les bras.

— Restez ici, Marcelle, dit résolument la jeune fille. Je vais voir ce qui arrive à cette malheureuse. Surtout, n'allez pas plus avant !

— Oh ! ne craignez rien, mademoiselle !

Aussi vite que le permettait l'étroitesse du sentier, Noella rejoignit la femme toujours agenouillée et à demi évanouie. Un cri d'effroi lui échappa.

A un tronc d'arbre poussé à mi-côte du ravin était suspendue par sa robe une jeune fille, dont les cheveux blonds, dénoués, pendaient autour du corps immobile. Elle était évidemment sans connaissance, et peut-être morte.

— Julienne !... Julienne ! râla la mère.

— Je vais chercher du secours. Ayez confiance ! dit Noella dont la décision était vite prise.

Elle revint en arrière, dit au passage quelques mot d'explication à Marcelle et se mit à courir dans la direction de la route. Là, elle aurait chance de rencontrer quelqu'un qui pût venir tenter le sauvetage de la pauvre créature.

— Une automobile ! murmura-t-elle tout à coup en prêtant l'oreille à un bruit bien connu.

Elle courut plus vite encore et atteignit la route au moment où l'automobile passait devant le débouché du sentier. Elle jeta un cri d'appel, la machine stoppa.

— Mademoiselle Noella !

— Monsieur Dugand ! Oh ! venez vite, vite !

Il sauta à terre, et elle lui expliqua en quelques mots ce dont il s'agissait.

— Il y a une ferme à côté, je vais aller chercher les hommes nécessaires. Retournez rassurer la malheureuse mère, mademoiselle.

Vingt minutes plus tard, Stanislas et deux paysans arrivaient au lieu de l'accident. Ce fut l'ingénieur lui-même qui voulut, soutenu par une corde, opérer le sauvetage. Souple et rompu à tous les sports comme il s'était, il ne voyait là qu'un exercice sans importance. Mais Noella tremblait, ses jambes fléchissaient sous elle. Et lorsque Stanislas, avec son fardeau, mit le pied sur le sentier, il **vit** devant lui un visage pâle et altéré, où se lisait toute l'angoisse de l'âme.

La mère avait voulu se jeter sur son enfant pour savoir si elle vivait. Mais Stanislas dit avec une douceur impérieuse :

— Sortons d'abord de cet endroit dangereux, où un mouvement trop vif pourrait nous précipiter en bas.

Ils gagnèrent une passe plus large du sentier, et Stanislas posa doucement la jeune fille à terre.

Elle vivait, mais elle avait au front une blessure, peu profonde, qui avait dû néanmoins saigner assez longtemps pour affaiblir extrêmement la pauvre fille, déjà très frêle.

— Julienne ! ma petite Julienne, gémissait la mère en frappant les mains de la jeune fille pour essayer de la faire revenir à elle.

Stanislas échangea quelques mots avec Noella, puis il se tourna vers la femme.

— Où demeurez-vous ?

— Près de la Croix-aux-Saintes.

— Eh bien ! je vais vous emmener en automobile, votre fille et vous. Nous serons chez vous en cinq minutes, et là vous pourrez soigner plus tranquillement cette pauvre enfant.

Avec l'aide des paysans, Julienne fut portée
jusqu'à l'automobile et étendue sur les coussins. Sa mère prit place à côté d'elle. Stanislas
se tourna alors vers Noella et Marcelle.

— Ne voulez-vous pas profiter de ces deux
places libres ?

— Oh ! si, si, s'écria Marcelle avant que son
institutrice eût pu répondre. J'aime tant l'automobile. Et surtout, je voudrais savoir si la
pauvre Julienne va se réveiller.

Stanislas, ayant aidé Noella à s'installer à
l'intérieur, enleva comme une plume la fillette
et l'assit près de lui, sur le siège de devant, puis
l'automobile s'éloigna, à petite allure, à cause
de la blessée.

La maison de la mère de Julienne était en
dehors du village, à l'orée d'un bois de chênes.
C'était une pauvre masure, suant la misère. Et
l'intérieur ne démentait en rien cette première
impression.

La femme, affolée par l'angoisse, était incapable de soigner sa fille. Ce fut Noella qui
réussit, avec quelques gouttes de vinaigre trou-
vées dans un verre ébréché, à faire reprendre ses
sens à la pauvre créature.

Julienne ouvrit de grands yeux bleus, très
beaux et très touchants dans leur douceur candide. Sa mère jeta un cri de bonheur et se
précipita vers elle.

— Ma petite fille ! Sauvée, ma Julienne !
sauvée !

La jeune fille eut pour elle un regard affectueux, puis ses yeux se posèrent, surpris, sur ces
étrangers.

— Vous vous demandez qui nous sommes ?
dit Noella avec un sourire, tout en posant sur
la blessure le bandage que Stanislas venait de
préparer avec des mouchoirs. Votre maman vous
racontera plus tard ce qui s'est passé. Pour le
moment, il faut vous reposer, après avoir pris
quelque chose de réconfortant.

— Quoi ? quoi ? Il n'y a rien ici, et plus
d'argent. Ce n'est pas en vendant nos hardes et
notre vaisselle ébréchée que je trouverai de quoi
nourrir convenablement cette enfant qui se
meurt d'anémie ! dit-elle d'une voix rauque.

Déjà Noella mettait la main à sa poche pour
prendre son porte-monnaie bien peu garni, hélas ! Mais, plus prompt, Stanislas avait déjà
sorti le sien et y prit quelque chose qu'il glissa
dans la main de Julienne.

— Voilà de quoi vous soigner, dit-il avec
douceur. Je reviendrai savoir de vos nouvelles,
mademoiselle Julienne.

— Et moi aussi, ajouta Noella en se penchant
pour prendre la main de la jeune fille. Je vous
dis donc : à bientôt !

— Merci, merci ! murmura la voix faible de
Julienne. Que Dieu vous bénisse tous !

Le sombre visage de la mère se détendit un
peu, ses lèvres, qu'elle serrait convulsivement,
s'entr'ouvrirent pour murmurer :

— Moi aussi, je vous remercie.

Pour la première fois, elle pensait à regarder ceux qui avaient sauvé sa fille. Ses yeux effleurèrent le joli visage de Noella, le frais minois de Marcelle, et s'arrêtèrent sur Stanislas. Un tressaillement la secoua, quelque chose passa dans son regard, — effroi ou stupeur, les deux peut-être.

— Si vous voulez me dire votre nom, pour que je sache à qui je dois de la reconnaissance ? balbutia-t-elle.

— Mais c'est bien facile ! s'écria Marcelle. Voilà Mlle des Landies, M. Dugand et... moi qui n'ai rien fait, je suis Marcelle de Ravines. Mais vous, quel est votre nom ?

— Mme Vaillant, répondit la femme d'une voix un peu sourde, en jetant vers Stanislas un regard rassuré.

Les deux jeunes gens et Marcelle sortirent de la chaumière et s'arrêtèrent près de l'automobile.

— Pauvres créatures ! dit Noella avec émotion. La jeune fille est charmante.

— En effet, mais la femme a un air un peu singulier. Je ne serais pas étonné si elle buvait.

— Pensez-vous ? Oui, peut-être. Alors je plains doublement la pauvre jeune fille. Au revoir, monsieur, voilà que vous vous êtes bien retardé avec cette triste aventure !

— Oh ! cela n'est que de minime importance !

Je suis trop heureux de m'être trouvé là. Mais n'avez-vous pas été trop émotionnée ?

— Un peu. Ce sauvetage était dangereux, convenez-en.

— Ce n'était rien du tout, je vous assure, et je suis désolé que cette petite gymnastique vous ait impressionnée.

— C'est que je suis une créature trop nerveuse, voilà tout, dit-elle avec un sourire. Traitez-moi de peureuse, je le mérite.

Mais ses joues se rosèrent un peu en entendant Stanislas répliquer avec une grave émotion :

— Je n'en ai pas l'idée, car je sais que le danger personnel vous laisserait indemne de ce tremblement que vous occasionne celui d'autrui... et je vous remercie d'avoir tremblé pour moi.

V

Hallucinations ?

— Quel admirable automne nous avons ! Ne trouvez-vous pas, mon cher, qu'il est dommage d'aller nous enfermer, ne fût-ce qu'une demi-heure, dans ce « Château Noir », comme l'appellent si bien les gens d'ici, au lieu de profiter de cette après-midi délicieuse pour excursionner aux alentours ?

— Certes, je suis de votre avis ! Mais cette visite ne se peut retarder indéfiniment, car je ne suis pas toujours libre.

Maurice d'Aubars et Stanislas Dugand causaient ainsi en se dirigeant vers le château de Sailles, dans l'automobile toujours mise à la disposition de l'ingénieur. Quelque temps auparavant, celui-ci avait demandé à Maurice :

— Il me semble qu'il serait assez convenable de ma part de faire une visite à la baronne Van Hottem, qui est une des notabilités de la région et que je puis rencontrer quelquefois chez vous. Ce sera une corvée, car elle m'est assez peu sympathique, et son fils encore moins, mais enfin, ne pensez-vous pas que ce soit assez poli ?

— Oui, je le crois aussi. Ecoutez, voulez-vous que nous fassions une chose ? J'ai quelques renseignements à demander à Pieter Van Hottem, venez avec moi un de ces jours, la corvée vous paraîtra peut-être moins forte. Et nous vous ferons visiter le château, qui en vaut la peine.

Stanislas avait acquiescé avec plaisir, et voilà pourquoi les deux jeunes gens s'en allaient vers le château de Sailles, par cette belle après-midi automnale.

L'automobile, ayant gravi la côte raide qui menait à la demeure féodale, s'arrêta devant le pont de pierre. Les deux jeunes gens mirent pied à terre, passèrent la voûte et entrèrent dans la salle des Gardes.

Une exclamation s'arrêta sur les lèvres de Stanislas...

Oui, il avait été près de s'écrier :

— Mais je connais cette salle !

Cette voûte en pendentifs, ces piliers massifs, ces armures superbes éparses çà et là. Tout cela, il l'avait vu.

Un domestique s'avançait, il introduisit les jeunes gens dans un immense et magnifique salon, qui, cette fois, ne rappela rien à Stanislas. Presque aussitôt, Mme Van Hottem entra.

Stanislas eut ce même tressaillement que l'autre jour, où il l'avait vue pour la première fois.

Et la baronne, dès l'entrée, l'enveloppa d'un regard rapide, scrutateur et un peu anxieux.

Elle se montra d'ailleurs aussi aimable que pouvait l'être sa nature évidemment froide et paisible. Pieter arriva bientôt, plus suffisant que jamais, il se mit à causer avec son habituelle intelligence, entassant niaiseries sur sottises, au secret agacement de Maurice qui finit par s'écrier tout à coup :

— Dites donc, Pieter, si nous montrions le château à M. Dugand ? Cela l'intéressera beaucoup, je suis sûr.

— Oh ! de vieilles pierres affreuses ! dit le baron avec dédain. J'ai dans l'idée de faire abattre quelque jour tout cela et de remplacer cette antiquité par un château moderne, une merveille, je ne vous dis que ça !

— Vandale ! s'écria Maurice indigné, tandis que Stanislas ne pouvait retenir un geste de protestation.

— Je ne suis pas amateur de vieilleries, moi ! Je suis pratique, mon cher bon. Il y a de quoi attraper le spleen, entre ces murailles énormes, dans ces salles sombres et ces couloirs interminables ! Et si j'avais les nerfs sensibles, je ne pourrais trouver le sommeil en songeant aux terrifiantes légendes qui peuplent de squelettes les oubliettes et les souterrains et font apparaître, à l'heure fatidique de minuit, cent fantômes plus ou moins horrifiques, celui du petit Ghislain, entre autres. C'est le dernier en date, et il y a bien quatre ou cinq domestiques qui l'ont vu.

Il éclata de rire, tandis qu'une ombre soudaine voilait le regard de sa mère.

— Venez, je vais vous montrer cela, si vous le voulez, reprit-il avec condescendance. Nous irons ensuite fumer un cigare dans le parc.

Ils commencèrent la visite par la plus grosse tour, au sommet de laquelle se trouvait une salle spacieuse, mal éclairée par une étroite fenêtre garnie d'énormes barreaux de fer.

— Ceci a autrefois servi de prison, ainsi qu'en témoignent ces anneaux encore scellés dans la muraille, dit le baron. Je suppose qu'on mettait ici les coupables de qualité. Ou bien cette salle servait à enfermer les membres de la famille qui osaient résister à la volonté du seigneur. Eh ! eh ! il y a des pages sanglantes dans l'histoire des ducs de Sailles !

Cette phrase, ou plutôt le ton de satisfaction avec laquelle Pieter la prononça, énerva inexplicablement Stanislas. Il riposta avec une ironie contenue.

— En ces temps lointains et barbares encore, la vie d'un être humain était en effet trop souvent traitée en quantité négligeable. Aujourd'hui, nos mœurs se sont adoucies, en apparence ; car si l'homme respecte davantage la vie de son semblable, il s'acharne plus que jamais à tuer les âmes. Mais ce crime moral passe généralement inaperçu du monde, car il est im-

possible de montrer à son sujet les cachots, les
chaînes, toutes ces sombres horreurs d'un passé
que nos déclameurs modernes nous déclarent
plongé dans le sang et dans la barbarie.

Pieter redressa sa petite taille pour toiser
l'ingénieur.

— Vous préférez donc l'ancien temps au nouveau ? demanda-t-il d'un ton moqueur.

— Je n'ai pas dit cela. Certes, notre temps
présente sur autrefois de sérieux avantages, et
je ne regrette aucunement d'être né au XIXᵉ
siècle plutôt qu'au XIIIᵉ. Mais je ne suis pas
de ceux qui dénigrent systématiquement, qui
renient le passé, car, lentement, siècle par siècle,
à travers des bouleversements dont le souvenir
évoqué par l'histoire nous fait encore frémir,
ce passé a préparé ce que nous appelons aujourd'hui, avec un orgueil un peu puéril, le
progrès. Le progrès ! Voilà le mot d'ordre de
notre jeune génération. Tout le reste, traditions,
gloires du passé, grandes âmes d'autrefois, est
annihilé à ses yeux, ou encore sert d'épouvantail
aux agitateurs socialistes déclamant contre la
tyrannie et les hontes des siècles morts.

— Bravo, mon cher ! s'écria Maurice en frappant sur l'épaule de l'ingénieur. Vous êtes tout
à fait dans mes idées. Ce ne sont pas les vôtres,
Pieter ?

Le baron haussa les épaules.

— Je ne m'occupe jamais des questions inutiles, répondit-il d'un ton maussade.

Il sortit de la salle, suivi des deux jeunes gens.

Maurice, se penchant vers Stanislas, lui murmura à l'oreille :

— Voilà un homme que ses opinions n'embarrassent pas. De cette façon, il est dispensé de discuter — chose dont sa pauvre cervelle serait bien incapable.

La visite du château continua. De temps à autre, de singulières réminiscences saisissaient Stanislas, par exemple au seuil de la chambre du défunt duc, ou dans l'immense salle à manger. Oui, ces tapisseries magnifiques représentant des scènes bibliques ne lui étaient pas inconnues. Et ce portrait, en face de la porte, ce seigneur à la mine farouche et aux yeux sombres, n'avait-il pas hanté quelquefois son sommeil, autrefois ?...

— Il y avait dans les différents salons de nombreux portraits d'ancêtres, dit Pieter, tout en précédant ses hôtes dans le majestueux escalier. Ma mère en a fait enlever dernièrement plusieurs, prétendant qu'ils avaient besoin de réparations. Moi, je ne m'en étais pas aperçu.

— C'est dommage; certains de ces portraits très remarquables vous auraient intéressé, monsieur Dugand, dit Maurice. Il est vrai que le peintre avait des modèles peu ordinaires, le type étant, chez les Mornelles, généralement superbe.

— Peuh ! fit le baron avec un mouvement d'épaules.

— Il préfère sans doute le sien ? murmura

plaisamment Maurice en se penchant vers Stanislas, qui eut grand'peine à retenir un éclat
de rire.

En haut de l'escalier, Pieter annonça :

— Je vais vous montrer mon appartement.
Ce fut autrefois celui des ducs de Sailles.

Ils entrèrent dans une salle en forme de rotonde, et le baron, ouvrant une porte, dit d'un
ton important :

— Voici ma chambre, la plus vaste, la plus
somptueuse du château ; celle où vécurent à peu
près tous les ducs de Sailles.

Stanislas s'arrêta sur le seuil. Quelle émotion
bizarre l'étreignait soudain ! Ce lit immense,
surmonté de la couronne ducale, ces énormes
fauteuils armoriés, ces fenêtres aux vitraux superbes. Oui, tout ici évoquait en lui des souvenirs.

Son regard se dirigea vers la paroi de gauche.
Il y avait là une porte ; et, avant de l'avoir vue,
il « savait » qu'elle était là. Derrière cette porte
close, il « voyait » une grande pièce longue,
éclairée par des fenêtres à vitraux clairs. Dans
cette pièce, un petit lit à colonnes fuselées, une
table antique couverte d'albums et de gravures.

Pieter marchait vers cette porte, il l'ouvrit
en annonçant :

— Mon cabinet de travail.

— Qui ne doit pas le voir deux fois dans
l'année ! murmura l'irrévérencieux Maurice.

Stanislas s'avança, jeta un coup d'œil. C'était

bien cela : la pièce beaucoup plus longue que
large, les jolis vitraux clairs. Mais il n'y avait
pas de lit ni de table. La chambre était meublée
en riche cabinet de travail.

— Ah ! ça, que signifient ces obsessions ?
pensa Stanislas, un peu inquiet.

— C'était ici qu'habitaient cette pauvre comtesse de Vaulan et son fils ? dit Maurice, qui
était demeuré au milieu de la chambre voisine.

— Oui, le duc Renaud leur avait donné aussitôt cet appartement. Convenez que c'était un
peu vexant de voir ces nouveaux venus installés
comme des princes, tandis que ma mère et moi
devions nous contenter d'un appartement ordinaire ! dit le baron d'un ton de ressentiment
envieux.

— C'est assez naturel, me semble-t-il, déclara
Maurice. Ces pièces devaient être naturellement
habitées par des membres de la famille.

Le baron pinça violemment les lèvres, et
Stanislas se rappela que Maurice lui avait dit
un jour :

— Ce paon de Van Hottem, tout intéressé
qu'il est, donnerait bien la moitié de sa fortune
pour avoir le droit de porter le titre de duc de
Sailles et de se dire descendant de cette illustre
famille.

Etant donné cet amer regret, il était évident
que la réflexion de M. d'Aubars ne lui avait
pas plu.

Les trois jeunes gens revinrent vers la porte

de la chambre. Comme Maurice s'arrêtait près
le seuil pour examiner une peinture, Stanislas
se retourna, il embrassa d'un long regard cette
pièce immense.

Et soudain il vit, dans ce lit, une délicate
figure entourée de cheveux blonds, de grands
yeux doux et tendres qui le regardaient et
l'appelaient.

— Maman !

Ce mot lui monta aux lèvres et y mourut.
Mais l'impression avait été si forte qu'un frisson
l'avait secoué.

— Décidément mes nerfs sont malades ! pensa-t-il.

Pieter condescendit encore à faire visiter à
ses hôtes quelques pièces et la chapelle, curieuse
construction d'un type achaïque où régnait une
fraîcheur humide, puis il guida les jeunes gens
à travers de sombres couloirs pour gagner le
fumoir où il voulait offrir des cigares aux
visiteurs.

— Dites donc, Pieter, si nous allions dans
le parc, au lieu de rester enfermés ici par ce
temps magnifique ? proposa Maurice.

— Si vous le voulez, répondit le baron.

Ils sortirent et s'engagèrent dans une allée.
Après la mort du duc Renaud, Mme Van Hottem
avait fait transformer le parc, fort négligé depuis plusieurs années. Une seule partie était
demeurée intacte, car tout changement lui eût
enlevé de son pittoresque quelque peu sauvage:

c'était celle qui dominait le ravin et la carrière
où Ghislain de Vaulan avait failli trouver la
mort.

— Allons de ce côté, Pieter, dit Maurice.
C'est le plus charmant endroit du parc.

— Chacun son avis !... Si j'avais été à même
de donner mon opinion à l'époque où ma mère
a fait exécuter des travaux par ici, je vous
assure que cette partie-là aurait été arrangée
comme les autres !

Maurice eut un dédaigneux plissement de
lèvres et échangea avec Stanislas un coup d'œil
qui signifiait assez clairement : Quel imbécile !

Par un sentier zigzaguant, au sol bosselé
contre lequel grommelait le baron, les jeunes
gens arrivèrent au bord du ravin. Lentement,
en tirant quelques bouffées de leurs cigares, ils
se dirigèrent vers la carrière.

Ce site un peu sauvage, Stanislas le connaissait. Il avait vu le semblable, dans un de ses
voyages sans doute.

— Voilà cette fameuse carrière où reviennent
de si effrayants fantômes, au dire des bonnes
gens de par ici ! s'écria gaiement Maurice.

Quelques secondes, Stanislas demeura immobile. Il voyait ce paysage couvert de neige, ce
sol blanc aussi, et là, sur cet escarpement, deux
fleurs superbes, deux roses de Noël d'une beauté
unique. Il lui sembla soudain que le sol manquait sous ses pieds, il ferma involontairement
les yeux.

En les rouvrant presque aussitôt, il vit devant
lui le ravin éclairé par un clair soleil d'automne,
et sous ses pieds le sol brun, couvert d'une herbe
jaunie. De fleurs, point dans ce lieu aride.

— Décidément, je suis halluciné ! songea-t-il,
réellement inquiet.

— Cette carrière est dangereuse, Pieter, disait
au même moment Maurice d'Aubars. Voyez comme les bords s'éboulent partout.

— Bah ! personne ne vient ici ! répliqua le
baron avec insouciance. Je n'ai jamais entendu
parler d'aucun accident.

— Si, il y en eut un. Je ne sais qui m'a
raconté que le petit Ghislain de Vaulan était
tombé dans cette carrière et ne fut sauvé que
par miracle.

— Je n'en ai jamais entendu parler. Eh bien !
Monsieur Dugand, avez-vous envie de faire de
même ?

Stanislas s'était approché du bord et se pen-
chait pour voir le fond de la carrière.

— Il y a en effet de quoi se tuer sur le coup.
L'enfant a été providentiellement protégé.

Tout en parlant, il se détournait vers Maurice
et Pieter, et le reste de sa phrase mourut sur
ses lèvres.

D'un étroit sentier débouchait une femme au
teint brun, couverte d'une sorte de tunique aux
couleurs vives. Cette femme, il la voyait depuis
des années dans ses brèves et étranges visions,
plus jeune, dépourvue de ces rides qui se croi-

saient sur son visage de statue bronzée, mais
ayant, comme celle-ci, les mêmes prunelles brillantes, aiguës.

Et ces prunelles s'attachaient sur lui, fiévreu-
sement, ardemment. En rencontrant le regard
stupéfié du jeune homme, elles se détournèrent,
et la femme, d'un pas lent et souple comme
celui d'un félin, s'enfonça dans le parc.

— Toujours la même, votre vieille Akelma,
dit Maurice, qui ne s'était aucunement aperçu,
pas plus que Pieter, de l'étrange émotion de
Stanislas.

— Toujours. Un chien fidèle... Mais dites
donc, si nous quittions ces lieux sauvages ? Je
pense qu'une tasse de thé nous attend au château.

Stanislas les suivit un peu comme en un rêve.
Cent images confuses flottaient maintenant dans
son cerveau. Au salon, il dut faire un prodigieux
effort sur lui-même pour répondre sans trop de
distraction aux questions de la baronne Van
Hottem, sur sa famille, son enfance, sa jeunesse.
La châtelaine semblait vraiment s'intéresser
beaucoup à lui, ainsi que le constata Maurice,
tandis qu'il reprenait avec l'ingénieur la route
de Saint-Pierre.

— Et vous savez, ce n'est pas son habitude.
En dehors de son Pieter — un bel oiseau pourtant ! — elle ne voit généralement rien.

A l'entrée de Saint-Pierre, Maurice laissa
l'ingénieur. Stanislas, distraitement, prit une

ruelle bordée de pauvres maisons et se trouva
tout à coup devant l'église.

C'était une construction fort ancienne, trapue
et noire. Plusieurs fois déjà, Stanislas était
passé devant, et elle ne lui avait inspiré qu'une
banale impression de curiosité, due à son antique et très pauvre apparence.

Pourquoi donc, aujourd'hui, un sentiment im-
précis s'éveillait-il en lui à la vue du vieux petit
temple ?

Pourquoi, presque malgré lui, se dirigeait-il
vers la porte et la franchissait-il pour la première fois ?

Derrière le chœur, on jouait de l'harmonium.
C'étaient des doigts d'artiste, qui tiraient tout
le parti possible du vieil instrument.

Stanislas s'avança dans l'étroite nef. Quels
souvenirs éveillaient donc en lui ces colonnes
presque frustes, cette voûte basse, et cet autel
fait d'une pierre sombre ?

Il s'approcha d'un enfoncement obscur. Là,
se trouvait l'autel de la Vierge. Entre des bouquets de roses en papier, coloriées et dorées,
se dressait une vieille petite statue au type
archaïque, aux couleurs passées.

— Notre-Dame de Consolation...

Pourquoi ces mots venaient-ils à ses lèvres ?
Pourquoi, spontanément, donnait-il ce nom à
cette statue, lui, l'incroyant qui ignorait tout du
catholicisme ?

Pourquoi, tout à coup, des phrases jusque-là ignorées surgissaient-elles dans son esprit ?

— Je vous salue, Marie. Vous êtes bénie entre toutes les femmes.

En même temps, une silhouette s'estompait à genoux contre la balustrade, la même, toujours, que Stanislas voyait parfois dans son rêve et qu'il appelait : Ma mère.

Il s'appuya à un pilier et plongea un instant son visage entre ses mains. Quelle étrange fantasmagorie le poursuivait aujourd'hui ? Que signifiaient ces réminiscences ? Avait-il donc, dans sa toute première enfance, reçu quelques principes chrétiens ? Et que voulaient dire les singuliers souvenirs qui l'avaient poursuivi pendant sa visite du château de Sailles ?

— Il faudra que je raconte tout cela à mon oncle, songea-t-il. Mais où le trouver ?

L'harmonium s'était tu depuis un instant, une ombre féminine traversait le chœur et, après une profonde génuflexion, s'engageait dans la petite nef.

Le cœur de Stanislas battit un peu plus fort en reconnaissant Noella.

Il se trouva sous le porche en même temps qu'elle. Elle répondit en souriant à son salut et lui tendit simplement la main.

— Vous êtes venu visiter cette pauvre vieille église, monsieur ?

Sa voix frémissait un peu, et son regard expri-

mait une joie émue dont Stanislas comprit la
raison. Loyalement, il voulut la détromper.

— Non, je n'y suis pas entré en visiteur, et
pas davantage mû par la pensée de venir chercher là un peu de lumière. Si étrange que la
chose vous paraisse, j'ai été poussé dans cette
église par un sentiment encore inexplicable.

Et, devant le regard surpris de la jeune
fille, il lui conta ses étranges impressions de
l'après-midi.

— C'est bien singulier, en effet. Mais il y a
de si bizarres effets nerveux ! En tout cas, votre
oncle pourra vous éclairer.

— Oui, si je le revois !

— Quoi, toujours sans nouvelles ?

— C'est incroyable, n'est-ce pas ? Je deviens
sérieusement inquiet. Et chez vous, mademoiselle ?

Le doux visage de Noella s'assombrit.

— Je n'ai pas de très bonnes nouvelles. Pierre
est malade au Séminaire, maman se trouve
très fatiguée, Vitaline aussi.

Une larme glissa sur sa joue pâlie. Mais déjà
Noella s'était ressaisie, un sourire un peu tremblant paraissait sur ses lèvres.

— Je suis faible, parfois. Au revoir, monsieur. Vous viendrez probablement à la fête de
Rocherouge ?

— Peut-être. Si je ne suis pas trop pressé.
Je me soucie assez peu des fêtes mondaines.

— Celle-ci ne sera pas cérémonieuse. Mon

élève elle-même y assiste, ainsi que ses petites amies.

— Ah ! Mlle Marcelle y sera ? Je tâcherai de trouver un moment.. Au revoir, mademoiselle.

Il s'inclina profondément et s'éloigna en songeant :

— Si son élève y est, elle y sera aussi. J'irai.

VI

Aube de bonheur

Bien que l'on fût à la fin de novembre, la
petite fête de Rocherouge, en raison de l'excep-
tionnelle douceur de température, avait lieu en
partie dans le jardin.

Debout près de sa mère, Charlotte l'aidait
à recevoir les invités. Elle était particulièrement
aimable aujourd'hui, se sentant en beauté dans
son élégante toilette blanche.

Une vieille dame, qui allait et venait à travers
les groupes en bavardant beaucoup, s'approcha
tout à coup de Mme de Ravines.

— Chère madame, plusieurs de vos invités
— et moi-même — se demandent qui est cette
jeune personne si jolie, si finement distinguée,
que nous voyons debout là-bas, près des amies
de votre Marcelle.

— C'est l'institutrice de ma fille, Mlle des
Landies...

Charlotte s'était brusquement détournée et
avait jeté un rapide coup d'œil vers le fond du
du salon.

— Vous auriez pu, maman, vous dispenser

de la faire venir, dit-elle d'un ton sec, où vibrait une colère contenue. Marcelle se serait vraiment bien passée aujourd'hui de son institutrice !

En ce moment, Stanislas s'inclinait devant les maîtresses du logis. Charlotte rencontra son regard légèrement ironique, et, pinçant brusquement les lèvres, elle répondit, par une très courte inclination de tête, au salut correct et froid du jeune homme.

Stanislas n'en parut nullement mortifié. Il s'en alla serrer la main de M. de Ravines et de Maurice, puis gagna le fond du salon pour saluer Noella.

Combien elle était charmante dans sa simple robe grise ! Et quel doux rayonnement dans son regard mélancolique lorsqu'elle l'avait vu s'incliner devant elle !

Là-bas, Charlotte multipliait ses grâces et ses sourires pour la baronne Van Hottem et Pieter qui venaient d'apparaître. Mais son regard sourdement irrité se dirigeait sans cesse vers ce coin du salon où Stanislas, sa haute taille un peu courbée, causait avec Noella.

— Il me semble que votre ingénieur fait la cour à l'institutrice de votre fille, mon bon ami, dit quelqu'un à M. de Ravines.

— Mais je n'y vois pas d'inconvénients ! M. Dugand serait un gentil parti pour cette enfant, réellement charmante et si sérieuse, comme lui,

du reste. Je prêterais volontiers la main à un
projet de mariage entre eux.

Une légère contraction passa sur le visage
de Maurice, qui se tenait debout près de son
beau-père.

— Bah ! Pensez-vous que M. Dugand poussera
le désintéressement jusqu'à s'embarrasser d'une
femme pauvre et de sa famille ? dit-il avec
une ironie forcée.

— Il est certain que, dans sa position, ce serait presque héroïque. Mais ce garçon-là m'a
paru avoir des instincts très chevaleresques.
Allons, voilà Charlotte qui ouvre le feu.

Mlle de Ravines, sur la demande de la baronne
Van Hottem, venait de se mettre au piano. Elle
joua fort brillamment un difficile morceau de
concert. Deux autres musiciennes lui succédè-
rent, puis ce fut le tour de Stanislas, à qui M. de
Ravines avait demandé d'apporter son violon.

— Je l'ai entendu l'autre jour à Eyrans, en
passant près de son pavillon, et il m'a tellement
charmé que j'ai voulu faire profiter nos hôtes
de ce délicieux talent, dit aimablement le maître
de la maison. Charlotte, est-ce toi qui accom-
pagnes M. Dugand ?

La jeune fille, occupée à causer avec un châtelain du voisinage, feignit de n'avoir pas entendu. Mme de Ravines dit aussitôt :

— Mlle des Landies, si excellente musicienne,
s'en acquittera mieux que personne... Maurice,
veux-tu aller le lui demander ?

Quelques instants plus tard, Noella, au bras de M. d'Aubars, arrivait près du piano. Stanislas, s'inclinant devant elle, lui demanda :

— Voulez-vous que nous jouions cette berceuse que vous savez si bien accompagner ?

Elle fit un signe d'acquiescement et s'assit devant le piano. Charlotte, les traits durcis, s'éloigna un peu et prit place près de la baronne Van Hottem, dont le regard, comme magnétiquement attiré, se dirigeait sans cesse vers Stanislas.

— Je crois que Mme de Ravines vient de faire deux heureux, dit Pieter en prenant une chaise près de la jeune fille. L'ingénieur paraît fort satisfait d'être accompagné par cette petite institutrice, fort jolie, vraiment !

Une lueur dure passa dans les prunelles de Charlotte.

— Grand bien leur fasse ! Mais je doute que M. Dugand ait l'héroïsme de choisir une femme sans le sou.

— Hum ! C'est vrai, et après tout, cela m'importe peu ! dit le baron avec un dédaigneux haussement d'épaules. Mais cet individu m'agace, je ne sais pourquoi.

— Moi aussi, murmura Charlotte entre ses dents.

Noella venait d'attaquer les premières mesures. Les sons du violon s'élevèrent, très doux, très pénétrants. C'était un chant exquis où Stanislas semblait faire passer toute son âme à la

fois énergique et délicate, forte et tendre. Noella
l'accompagnait admirablement, elle paraissait
s'identifier complètement au musicien. et d'enthousiastes applaudissements saluèrent la fin du
morceau.

— Bravo, bravo ! s'écria M. Holker, le prin-
cipal propriétaire de l'usine d'Eyrans, qui était
entré au début de l'exécution. Quel talent vous
avez, Dugand ! Et il y a de l'âme là-dedans, à
la bonne heure !

On entourait le piano, demandant un second
morceau. Les deux jeunes gens s'exécutèrent sans
se faire prier et recueillirent le même succès.

Charlotte, dont les traits s'étaient légèrement crispés, se leva et se dirigea vers le piano
près duquel se tenaient debout Noella et Stanislas.

— Il est grand temps d'aller retrouver votre
élève, mademoiselle. Elle a pu pendant ce temps
faire toutes les sottises imaginables, dit-elle de
ce ton impertinent qu'elle prenait toujours pour
adresser la parole à l'institutrice de sa sœur.

Noella rougit légèrement, mais riposta avec
une tranquille froideur :

— Marcelle a plus de raison que vous ne le
supposez, mademoiselle. D'ailleurs, en acceptant
ce rôle d'accompagnatrice, je n'ai fait que me
rendre au désir de madame votre mère.

Et, très calme en apparence, maîtrisant les
sentiments de révolte qui essayaienrt de monter
en elle, Noella se dirigea vers le jardin pour

rejoindre les enfants qui y étaient demeurés.

— C'est ridicule et injuste, ce que tu viens de lui dire là ! dit Maurice à l'oreille de sa sœur, d'un ton de sourde irritation.

— Garde pour toi tes appréciations ! répondit-elle aussi à voix basse. Ja sais ce que je fais en remettant cette jeune fille à sa place. Vas-tu te faire son chevalier, par hasard ?... Ou bien encore lui offrir ton cœur et ta fortune ?

L'accent railleur de Charlotte parut exaspérer Maurice.

Il toisa sa sœur d'un regard de défi.

— Si je le veux, qui donc pourra m'en empêcher ? dit-il entre ses dents serrées.

Il s'éloigna, laissant Charlotte légèrement abasourdie.

— Ah ! ça, parle-t-il sérieusement ? songeat-elle. Il est bien capable d'une folie de ce genre. Voilà qui est à surveiller de près, par exemple !

Stanislas, échappant aux compliments des invités de Rocherouge, réussissait en ce moment à s'éloigner. Il gagna la partie déserte du jardin et se mit à arpenter les allées étroites. Le front plissé, il songeait. Pauvre petite Noella, toujours en proie à la malveillance jalouse de cette péronnelle ! Tout à l'heure, il avait eu une peine infinie à ne pas relever l'apostrophe désagréable de Charlotte. Avec quelle dignité sereine Noella avait répondu à l'impertinente jeune fille !

Une sourde colère montait en lui contre Mlle

de Ravines. Il eut tout à coup un sourire de pitié
méprisante en songeant aux habiles manœuvres
de coquetteries déployées par elle à l'égard de
Pieter, cette nullité dont, au dire de Marcelle, elle
souhaitait de devenir la femme, cela, uniquement
à cause de son immense fortune. car elle
ne cachait pas le peu de cas qu'elle faisait de
l'intelligence et du physique du châtelain de
Sailles. Et c'était cette jeune fille, sans cœur,
ambitieuse et frivole, qui tourmentait et humi-
liait Noella.

Depuis un instant, il entendait des éclats de
jeunes voix et de rires joyeux. Il se trouva tout
à coup devant la pelouse où s'ébattaient Marcelle
et ses amies.

Sur un banc, un peu à l'écart, était assise
Noella. Sa tête était un peu penchée et appuyée
sur sa main, Stanislas ne voyait que son profil
délicat au teint pâli.

En quelques pas, il se trouvait près d'elle.
Noella leva les yeux et eut un léger sourire. Mais
des larmes brillaient dans les grandes prunelles
bleues.

— Mademoiselle Noella, vous souffrez ? C'est
cette impertinente créature ?

— Je suis devenue ridiculement impression-
nable et faible, au moral et au physique, murmura-t-elle. Aujourd'hui surtout, où j'ai reçu
une lettre de Vitaline me disant que notre chère
maman ne va vraiment pas bien.

Sa voix tremblait légèrement. Et, sur sa phy-

sionomie, Stanislas pouvait lire les souffrances
morales courageusement voilées d'ordinaire sous
une apparence souriante et calme. Une émotion
poignante serra soudain le cœur de l'ingénieur
devant cette douleur résignée mais si profonde.
La voir souffrir ainsi, celle qu'il rêvait d'entourer de bonheur et de tendresse ! Il se pencha un
peu, et sa voix frémissante, assourdie pour n'être
pas entendue des enfants qui babillaient non
loin de là, il murmura :

— Mademoiselle Noella, voulez-vous me donner le droit de m'associer à tous vos devoirs et
à toutes vos inquiétudes ? Voulez-vous devenir
ma femme ?

Une teinte pourpre monta aux joues de Noella,
et dans les yeux qui se levaient vers lui, Stanislas
lut un rayonnant et candide bonheur. Mais
soudain, la jeune fille devint très pâle, son regard se fit grave et triste.

— Merci, merci de votre générosité, dit-elle
d'une voix tremblante. Je me souviendrai toujours de cet admirable désintéressement. Mais
je dois subvenir en partie aux besoins de ma
famille, et je ne pourrais accepter de vous voir
prendre cette charge.

— Et si je la réclame, si je veux l'assumer !
dit ardemment Stanislas. J'ai devant moi un bel
avenir, je travaillerai de bon cœur pour vous,
pour eux tous que j'aime tant déjà. N'y a-t-il
vraiment que cette question qui vous fasse hésiter ?... Noella, avez-vous une assez forte con-

fiance en moi pour mettre sans hésiter votre main dans la mienne ?... Ou bien craignez-vous peut-être mon incroyance en matière religieuse ? Mais je vous l'ai dit un jour : j'étudie, je cherche loyalement la lumière.

— Oh ! je le sais, je le crois ! dit-elle avec élan. Vous êtes une âme droite, en qui je me confierais sans réserve. Bientôt, j'en suis sûre, Dieu vous accordera le don de la foi. Mais, je vous le répète, je ne puis accepter ce désintéressement chevaleresque.

— Vous préférez alors me voir souffrir loin de celle qui est, depuis des mois, la douce image hantant toutes mes pensées, présente à tous mes rêves d'avenir ? Non, Noella, je n'accepte pas un refus basé sur cette seule raison.

Elle eut un sourire ému.

— Combien vous êtes bon et délicat ! Mais votre oncle, que dira-t-il de ce projet ?

— Il sera le premier à m'approuver, car je sais combien il vous apprécie. Aussitôt que je saurai où il se trouve, je lui ferai part de mon choix, en le priant d'adresser ma demande à Mme des Landies. Car c'est oui, n'est-ce pas, mademoiselle Noella ?

— Ce sera oui, si ma mère le veut bien, répondit-elle avec une profonde émotion.

Quelle délicieuse minute de bonheur ! Mais Stanislas ne pouvait demeurer là plus longtemps, il lui fallait retourner là-bas, quitter celle qu'il

appelait déjà sa fiancée, mais qui ne l'était pas
encore aux yeux du monde.

— A bientôt, je l'espère, dit-il avec émotion.
Plus que jamais, je vais souhaiter recevoir des
nouvelles de mon oncle. A propos de nouvelles,
mademoiselle, je puis vous en donner de toutes
fraîches de la pauvre Julienne. J'y ai été ce
matin et l'ai trouvée levée, assise devant la
maison, bien pâle encore, mais un peu plus
forte, m'a-t-elle dit.

— Tant mieux, pauvre enfant ! Je ne puis
malheureusement me rendre chez elle aussi souvent que je le voudrais, sans quoi j'aurais aimé
m'occuper de cette jeune fille qui m'a paru vraiment charmante. Quelle misère dans cet intérieur ! Et vous aviez raison, la mère boit.

— N'est-ce pas ? Mais elle paraît beaucoup
aimer sa fille. Peut-être, en se servant de cette
tendresse maternelle, pourrait-on arriver à la
désaccoutumer de ce vice affreux qui doit tant
faire souffrir la pauvre enfant.

— Oui, peut-être. Mais, tenue comme je le
suis, je n'ai pas le loisir de tenter cette cure
morale. Tout au plus pourrai-je de temps à
autre visiter la jeune fille.

— Quand vous serez ma chère compagne,
nous nous en occuperons tous deux, dit-il avec
un sourire ému.

Il s'inclina devant elle et s'éloigna, juste au
moment où apparaissait au débouché d'une allée
la mince silhouette de Maurice d'Aubars.

La physionomie mobile et gaie du jeune homme semblait fort assombrie, et ce fut d'un ton assez sec qu'il dit à l'ingénieur :

— En vérité, je me demandais où vous étiez passé, monsieur Dugand !

— Je causais simplement avec Mlle des Landies, monsieur, répondit Stanislas avec une tranquille froideur.

Maurice fronça les sourcils mais ne répliqua rien. Le calme hautain de l'ingénieur coupait court évidemment à ces ripostes mordantes, à ces réflexions caustiques dont il était coutumier. Mais cette après-midi-là, Stanislas ne trouva plus chez lui la cordialité, la bonne humeur habituelles.

Le jeune ingénieur s'en consola aisément. Il avait, en ce moment, une assez belle réserve de bonheur pour voir toutes choses sous le meilleur aspect. Et les satisfactions d'amour-propre elles-mêmes n'avaient pas le pouvoir de chasser un instant de son esprit la chère image de Noella.

Car Stanislas, déjà très remarqué auparavant, obtenait comme danseur un succès qui amenait une lueur d'envie rageuse dans les yeux pâles de Pieter Van Hottem.

— Je crois que notre ingénieur est en train de faire la conquête de toutes ces demoiselles, dit en riant M. Holker à la baronne Van Hottem, près de laquelle il se trouvait assis. Un garçon charmant, en vérité ! et un fameux travailleur ! Avec lui l'usine sera vite mise sur un excellent pied, et nous ferons bientôt concurrence à toutes les marques connues. N'est-ce pas, d'Aubars ? ajouta-t-il en s'adressant au jeune homme qui s'approchait d'eux après avoir reconduit sa danseuse.

— Je ne fais aucune difficulté pour reconnaître la remarquable intelligence et la science de M. Dugand, répondit Maurice d'un air contraint.

— De quel ton vous dites cela ! Etes-vous en froid, tous deux ?

Et les petits yeux fins de l'Américain scrutaient malicieusement la physionomie de Maurice.

Le jeune homme eut un geste vague.

— Peut-être. Ah ! vous voilà, Pieter ! Vous n'avez pas beaucoup dansé, me semble-t-il ?

— Non, je n'aime pas cet exercice stupide, répondit maussadement le baron.

Maurice et l'Américain échangèrent un coup d'œil moqueur. Ils savaient tous deux que Pieter était le plus pitoyable danseur qui se pût voir.

— Mais, en revanche, votre ingénieur s'en est donné ! reprit le baron d'un ton âpre. Je crois qu'il a déjà fait danser toutes les jeunes filles et jeunes femmes de la réunion !

— Ce qui est d'un beau dévouement, car il en est quelques-unes fort loin de mériter le titre de bonnes danseuses, et d'autres plus ou moins intelligentes et agréables, dit l'Américain en riant. Seule, Mlle Charlotte n'a pas été invitée par lui. Eh ! eh ! c'est qu'il a sa fierté, M. Dugand ! A la remarque que je lui faisais tout à l'heure de cette abstention, il m'a répondu tranquillement : « Connaissant les idées de Mlle de Ravines, je ne voudrais pas lui donner l'ennui de danser avec un « subalterne » ou m'exposer à un refus de sa part... » Et comme je me récriais sur le terme employé, il a ajouté : « Je sais qu'elle ne me considère pas autrement. »

— Et bien fait-elle ! déclara Pieter. Si tous agissaient comme elle, on ne verrait pas ce petit ingénieur sorti on ne sait d'où remplir ces salons de sa personnalité.

— Que voulez-vous, baron, cette personnalité a l'inconvénient de n'être pas la première venue, fort loin de là, interrompit ironiquement M. Holker. La supériorité est toujours remarquée, comme étant l'apanage d'un petit nombre. Eh bien ! que vous prend-il, d'Aubars ?

Le jeune homme venait de se frapper vivement le front.

— Figurez-vous que depuis longtemps je cherchais ce que me rappelait la physionomie de M. Dugand, et tout à coup, je viens de trouver. Il ressemble ! oh ! mais, c'est frappant ! à certains portraits du château de Sailles.

Pieter éclata de rire.

— Ah ! elle est bien bonne, celle-là ! Vous êtes fort pour trouver des ressemblances ! Avez-vous entendu cela, ma mère ?

La baronne venait de déployer son éventail et l'agitait devant son visage soudain blêmi.

— C'est une illusion, monsieur d'Aubars, une simple illusion, dit-elle avec calme. Moi qui vis depuis des années en face de ces portraits, je n'ai vraiment rien trouvé de semblable. Pieter, fais donc signe à ce domestique qui passe le plateau, là-bas ; je prendrais volontiers une glace.

VII

Révélations

Stanislas, accoudé à son bureau, achevait de lire une lettre de Pierre des Landies. La correspondance était entre eux assez fréquente et se faisait sur le ton d'une charmante intimité. Il y était beaucoup question de philosophie ; parfois Stanislas exprimait un doute, une perplexité que Pierre éclairait d'un rayon de théologie. Malgré la différence d'âge, le futur prêtre était quelquefois le conseiller de l'ingénieur — conseiller toujours discret, d'ailleurs.

Maintenant, Stanislas repliait la missive, et, tout naturellement, du frère sa pensée s'en allait vers la sœur, sa fiancée, car elle l'était de fait, sinon officiellement. Il était certain que Mme des Landies donnerait avec joie son consentement, du moment où elle verrait dans cette union le bonheur de sa fille. Mais il avait hâte de voir la question réglée, de pouvoir dire à tous : « Voilà ma fiancée. » Alors Noella retournerait à Pau, car il ne souffrirait pas de la voir demeurer plus longtemps dans cette position dépendante, et le mariage serait célébré

sans trop tarder. Le pavillon qu'il occupait près
de l'usine était vaste et recevrait toute la famille. Il préparerait pour elle, sa Noella, un intérieur charmant dans sa simplicité, et c'en
serait fini des heures de solitude, si longues pour
son âme aimante !

Mais où trouver M. Dugand ? Aujourd'hui,
pas de lettre encore !

Stanislas tourna les yeux vers la fenêtre. Il
pleuvait ce matin à torrents, et la grande cour
de l'usine offrait aux regards toute une série de
petits lacs.

Cependant quelqu'un, bravant l'averse, la traversait en ce moment. Stanislas se leva, s'approcha de la fenêtre.

— Mais on dirait... Oui, c'est mon oncle !

Il ouvrit la porte vitrée et s'élança au dehors,
sans souci de la pluie...

— Rentrez, Stanislas, rentrez ! s'écria l'arrivant.

Et, hâtant le pas, il se trouva en un instant
près de la porte et entra avec l'ingénieur dans
le bureau.

— Quel temps ! murmura-t-il en enlevant
avec l'aide de Stanislas son pardessus ruisselant.

— Mais pourquoi ne m'avoir rien écrit, mon
oncle ? J'aurais été vous chercher en voiture.

— Non, cela ne se pouvait, dit brièvement
le vieillard. Vous comprendrez pourquoi tout
à l'heure. Rien ne s'est passé de nouveau, ici ?

— Si, il y a du nouveau, et je souhaitais

ardemment vous voir pour vous en entretenir.

— Ah ! quoi donc ? demanda M. Dugand avec quelque vivacité.

— Il s'agit de mariage. Mais, avant toute chose, il faudrait vous changer, mon oncle. Vous êtes tellement mouillé !

— Peu importe. Laissons cela, Stanislas, et causons. Je suis venu dans ce seul but, car moi aussi j'ai quelque chose à vous apprendre.

— Laissez-moi au moins vous faire préparer une boisson chaude ?

— Inutile, vous dis-je. Ainsi, vous avez envie de vous marier ?

— Oui, mon oncle, et je suis sûr que mon choix aura toute votre approbation, car vous avez pu apprécier comme moi le charme et les hautes vertus de Mlle Noella des Landies.

Aucune expression de surprise ne parut sur le visage du vieillard, mais un grand pli se forma sur son front.

— Je m'en doutais. Mais vous vous méprenez en pensant que j'approuverai cette idée.

— Elle vous déplaît, mon oncle ? Craignez-vous la charge matérielle qui résultera pour moi de ce mariage ? Rassurez-vous, je me sens de vigueur morale et physique suffisante pour l'assumer, pourvu que j'aie près de moi ma chère Noella. Je l'aime tant, mon oncle !

— Je m'en suis déjà douté, à Pau. Et, malheureusement, vous l'avez encore retrouvée ici.

— Pourquoi malheureusement? Expliquez-moi vos raisons, mon oncle !

— Oui, je vais tout vous dire, je suis ici pour cela. C'est tout un récit que j'ai à vous faire, et tout d'abord, je vais vous parler de moi.

Le vieillard s'accouda au fauteuil que lui avait avancé Stanislas et enveloppa d'un long regard le visage un peu anxieux du jeune homme assis devant lui.

— Car, en réalité, je n'ai aucun droit à ce nom d'Adrien Dugand sous lequel on me connaît maintenant. Je m'appelle Martin Régent. Dans notre famille, de père en fils, nous étions intendants des ducs de Sailles, j'heritai de cette fonction, je devins l'homme de confiance du duc Renaud. Celui-ci avait un fils unique, Gérard, et il élevait en même temps un petit-cousin orphelin, son filleul, Renaud de Vaulan. Les deux enfants, bien que je fusse sensiblement plus âgé qu'eux, aimaient m'associer à leurs jeux, et plus tard m'emmenaient souvent dans leurs parties de chasse. Tous deux étaient aimables et bons, et je leur avais voué un ardent attachement.

Le jeune maître se maria, et peu après son père, au cours d'un voyage, épousa une Hollandaise veuve, dont la fille était mariée à Java. A peu près à la même époque, le jeune comte Renaud de Vaulan se brouillait avec son parrain à propos de son mariage avec Mlle d'Erques, mariage qui ne plaisait pas au duc de Sailles.

L'intervention du comte Gérard ne put rien sur la volonté de son père, déjà, hélas ! tristement conseillé par sa seconde femme. Quant à moi, je souffris douloureusement de cette rupture, et je restai toujours en correspondance avec M. de Vaulan.

Environ six mois après le mariage du duc Renaud, nous vîmes arriver au château de Sailles la fille de la seconde femme, la baronne Van Hottem. Veuve et sans fortune, elle venait demander une hospitalité temporaire, que la générosité de son beau-père fit définitive. Dès lors, entre les mains de ces deux femmes, le pauvre homme ne fut plus qu'un instrument, malgré son naturel si autoritaire. Vous n'imaginez pas quelle souplesse, quelle infernale habileté elles déployaient ! Je ne sais pourquoi, dès l'abord, je m'étais défié, et mes craintes allèrent en grandissant.

Le comte Gérard et sa femme habitaient généralement Paris, mais ils venaient passer tout l'été à Sailles. Ce fut pendant un de ces séjours que son cheval, furieusement emballé, le projeta un jour dans un ravin d'où on le retira mortellement blessé. Un peu après, ce fut son fils aîné, un joli enfant de trois ans, qui tomba d'une fenêtre sur le pavé de la cour et fut tué net. La malheureuse mère en éprouva un tel saisissement qu'elle en mourut peu après.

La duchesse et sa fille avaient-elles deviné les soupçons qui germaient en moi ? La Javanaise attachée au service de la baronne, créature diabolique qui semblait tout voir et tout entendre, avait-elle remarqué la surveillance que j'exerçais sur elles ? C'est probable, car dès lors on s'attacha à me perdre dans l'esprit du duc.

Une circonstance vint leur faciliter la tâche. Un crime accompagné de vol fut commis près du château, précisément une nuit ou je m'étais absenté pour aller voir ma mère à Saint-Pierre. Quelqu'un m'avait rencontré sur la route, retournant vers le château... et cinq minutes plus tard, le crime s'accomplissait.

On m'arrêta, et, malgré mes violentes dénégations, le procès s'instruisit. Le duc de Sailles déposa contre moi, m'accusant de détournements. Malheureusement pour moi, je tenais fort mal mes livres, je ne pus donc faire la preuve de mon innocence en cette matière. Mais je savais d'où venaient ces instigations odieuses. Et, dans ma fureur, j'accusais la duchesse de Sailles et sa fille de la mort du comte Gérard et de son fils aîné !

Cela fut d'un effet déplorable sur les juges et sur l'assistance. Mme de Sailles et la baronne Van Hottem étaient des personnes fort religieuses, ayant toujours la main ouverte pour les œuvres, très estimées de tous et faisant profession d'un grand dévouement envers la famille du duc Renaud. On ne me crut donc pas une seule minute, et je fus condamné aux travaux forcés à perpétuité.

Dès le soir même, grâce à la complicité d'un
gardien à qui j'avais autrefois sauvé la vie, je
réussis à m'évader de la prison. Le plus prudent
semblait, n'est-ce pas, de fuir à tout jamais ce
pays ? Eh bien, non ! J'y demeurai, je me cachai
dans les bois, dans les ravins. Ma vieille mère,
à la nuit, m'apportait ma nourriture à un endroit convenu.

La raison de cette conduite ? Je voulais avoir
la preuve de la culpabilité de ces femmes, je
voulais savoir.

Et deux années s'écoulèrent. Le second fils
de Gérard de Mornelles était mort d'un rhume
mal soigné, le duc de Sailles n'avait plus d'autre
héritier que le fils du comte de Vaulan.

Ma mère m'apprit un jour qu'il l'appelait
près de lui avec sa mère, veuve depuis deux ans.
Je pensai aussitôt avec terreur : « Encore une
nouvelle victime ! Après cela, la baronne Van
Hottem pourra faire donner à son fils l'héritage
des ducs de Sailles. » Elle était seule maintenant avec son Akelma, car sa mère était morte,
mais ces deux-là étaient les plus habiles, les plus
profondément criminelles.

Depuis que le duc Renaud m'avait chargé
devant les juges, je nourrissais contre lui une
haine farouche. Mais, chose singulière, le dévouement passionné — héritage de famille —
qui m'attachait à tous ceux de sa race s'était
augmenté encore. Il s'y mêlait un désir sauvage
de me venger de ces femmes, en découvrant

leurs crimes. C'est pourquoi, dès l'arrivée de la
comtesse de Vaulan et de son fils, je me mis
à exercer une active surveillance.

Depuis longtemps, je cherchais l'entrée des
souterrains qui existaient certainement sous le
château, mais dont le secret s'était perdu lors
d'un incendie qui avait dévoré une partie des
archives trois siècles auparavant. Un hasard me
les fit découvrir. Et je constatai avec bonheur
que trois portes secrètes les faisaient communi-
quer avec les appartements. Ainsi, je pourrais
entrer comme il me plairait dans le château, et,
en connaissant tous les détours, épier à mon aise
les misérables.

Mais elles étaient si adroites ! Avec une per-
fidie infernale, elles montaient, sans en avoir
l'air, la domesticité contre la pauvre comtesse
de Vaulan, si douce et si bonne. Mme Van
Hottem ne ménageait pas l'argent ni les ca-
deaux, elle se faisait des alliés qui sauraient
fermer les yeux, si jamais ils pouvaient sur-
prendre quelque chose.

Que de nuits j'ai passées à errer à travers
le château, cherchant un indice, veillant sur lui,
le charmant enfant qui me rappelait tant mon
cher comte Renaud !

Ce fut ainsi que je constatai l'ouverture, par
une main criminelle, de la fenêtre de l'enfant,
alors malade d'une bronchite due au manque de
soins — peut-être volontaire — de la femme de
chambre. L'air glacé arrivait sur lui. Comme une

des portes secrètes ouvrait précisément dans la chambre de Mme de Vaulan, je la réveillai d'un coup de sifflet et je disparus. L'enfant fut très malade, mais on parvint à le sauver.

Une autre fois, dans la carrière près de laquelle donne l'entrée des souterrains, je trouvai un mouchoir de soie éclatante. J'avais avec moi mon chien, malheureuse bête ramassée à demi morte de misère et remise en état par mes soins. Il s'élança vers le mouchoir, le flaira et s'éloigna aussitôt. Une sorte de torpeur l'envahit, et, malgré tous mes soins, il mourut le soir même. Un lapin, à qui je fis respirer longuement ce mouchoir, mourut presque instantanément. Pour moi, il n'y avait pas de doute : une tentative criminelle avait eu lieu à l'aide ce morceau de soie, probablement imprégné de certain poison mystérieux connu d'Akelma.

Plus tard la misérable prépara avec une habileté diabolique un éboulement de la falaise au-dessus de la carrière des Sept-Percées. Sur une couche de neige, juste à l'endroit dangereux, elle dressa une touffe de roses de Noël. Je m'en avisai malheureusement trop tard, au moment où l'enfant, attiré par les fleurs, posait les pieds sur le sol friable. Il tomba dans le vide. Heureusement une branche l'arrêta, je pus aller enlever le pauvre petit être évanoui et blessé à la tête. Je le pansai, je jetai sur lui une couverture prise dans ma cachette toute proche, puis je le laissai, sans connaissance encore, en entendant au-dessus de la carrière les voix de ceux qui venaient tenter le sauvetage. Cette fois encore, l'enfant échappa à la mort.

Ma surveillance se fit plus incessante. Je craignais le poison, et ces craintes se transformèrent en quasi certitude lorsque je sus que la santé de la mère et de l'enfant s'affaiblissait.

Mais de quelle façon les prévenir ? Si les misérables avaient le moindre soupçon, elles se hâteraient dans l'accomplissement de leur crime.

Enfin, devant la faiblesse et les souffrances de plus en plus grandes de Mme de Vaulan, je me décidai un jour à déposer un billet avertisseur dans sa chambre, en l'adjurant de garder le secret le plus absolu. Et je m'occupai à surveiller plus complètement la baronne et la Javanaise.

Une nuit, je fus assez heureux pour surprenprendre le colloque de ces deux femmes. La Javanaise trouvait que les choses ne marchaient pas assez vite, elle proposait de doubler la dose. Mme Van Hottem, plus prudente, n'était pas de cet avis. Enfin, elle consentit à ce qu'Akelma l'augmentât un peu.

— Mais tu es sûre qu'il n'en restera pas de traces ?

— Absolument sûre. Mon père se vengea jadis en empoisonnant ainsi un commerçant hollandais qui l'avait insulté, et l'autopsie ne révéla rien.

Je compris qu'il fallait agir, que je n'avais pas

de temps à perdre. Autrement, la mère et l'enfant étaient perdus.

Cependant, que pouvais-je faire ? Qui aurait cru à la parole d'un être hors la loi ? Il ne me restait qu'une ressource : enlever l'enfant, le mettre en lieu sûr et prévenir prudemment la mère.

Je guettai assez longtemps une occasion favorable. La pauvre femme et le petit Ghislain étaient de plus en plus malades. Une nuit,, enfin, je pus, sans éveiller l'attention, enlever Ghislain, je le bâillonnai pour étouffer ses cris, et je m'enfuis dans le souterrain avec mon trésor.

Au dehors, une carriole m'attendait, conduite par un paysan, homme éprouvé auquel je m'étais confié. Nous partîmes dans la nuit, jusqu'à une gare un peu éloignée où je pris le premier train avec l'enfant qui grelottait de fièvre.

Je traversai toute la France pour m'embarquer au Havre à destination d'Amérique. Je m'étais grimé, j'étais méconnaissable, et l'enfant aussi. Ses beaux cheveux blonds étaient devenus noirs, son joli teint rosé avait été bruni. Il était bien faible, bien fragile, et la peur causée par son enlèvement, jointe à l'effet du poison, semblait lui avoir enlevé toute mémoire.

En arrivant à New-York, j'appris, par une lettre de ma mère, que la comtesse de Vaulan était morte subitement en apprenant la disparition de son fils. J'éprouvai d'abord un violent

remords de ne pas l'avoir prévenue auparavant.
J'avais agi dans une bonne intention, craignant
qu'elle ne se trahît involontairement. Je son-
geai ensuite que cette mort soudaine avait pu
être amenée par les misérables soupçonnant
peut-être quelque chose. Ah ! si la pauvre femme avait voulu croire plus tôt à mes avertisse-
ments, elle aurait fui depuis longtemps cette
demeure maudite !

J'avais, à New-York, un ami en qui je pouvais entièrement me confier. Adrien Dugand
me procura une place lucrative, et je m'occupai
de soigner l'enfant, très malade. Après des mois
d'anxiété, le mieux se manifesta lentement, la
santé revint peu à peu. Mais jamais Ghislain de
Vaulan ne recouvra la mémoire du passé !

Un an après mon arrivée à New-York, Adrien
Dugand mourut. Auparavant, il me donna tous
ses papiers et ceux d'un neveu orphelin mort un
peu avant avant notre arrivée, à peu près à
l'âge qu'avait Ghislain.

— Cela peut te servir, me dit-il.

Cela me servit immensément, en effet. Je
gagnai Philadelphie, et là je devins Adrien Dugand. L'enfant grandissait, il se fortifiait éton-
nament et me considérait comme son oncle. Ma
mère était morte, mais, quelques jours avant,
elle m'avait encore écrit pour m'annoncer que le
duc de Sailles avait rejoint dans la tombe tous
les siens.

Je m'étais juré de faire rendre à mon jeune

maître son titre et ses biens, et de voir le châtiment des coupables. Mais je ne pouvais rien
tenter encore, n'ayant pas de preuves. Ce paysan
qui m'avait aidé autrefois, le brave Claudiet,
m'entretenait de ce qui se passait à Sailles. Par
lui, j'appris que le véritable auteur du crime
dont j'étais accusé s'était dévoilé avant de mourir. Par lui, je pus savoir la résidence de chacun
des domestiques qui servaient à Sailles au moment du séjour de la comtesse de Vaulan. Lorsque Ghislain eut atteint dix-huit ans, je le
laissai en Amérique et allai m'établir en France.
Là, patiemment, je surveillai ceux qui devien-
draient des témoins à charge. A un tel qui était
dans la gêne, je donnai la somme désirée ; à un
autre, je parvins à rendre un service signalé.
Il y en eut un dont j'eus la chance de sauver
le fils. En échange, ils me racontaient certains
faits, me faisaient part de certains soupçons que
je consignais par écrit. Je les décidais à apposer
leur signature et à me promettre une déposition
sincère le jour où je pourrais enfin traîner les
criminelles devant les tribunaux.

Enfin, l'année dernière, il ne me restait plus
qu'à retrouver la trace de Bertine, la femme de
chambre de la comtesse de Vaulan. C'était d'elle
surtout que j'espérais de sensationnelles révélations. J'avais des raisons de penser qu'elle
connaissait bien des choses et même qu'elle avait
eu là sa part de complicité. Elle avait quitté le
château de Sailles peu après la mort de Mme de

Vaulan et s'était mariée à un petit employé de
Périgueux. Elle avait, en très peu de temps,
amassé un fort joli pécule, de beaucoup supérieur au montant de gages même très élevés.
J'ai réussi à me renseigner sur ce fait, qui a son
importance... De même, n'y avait-il pas une
indication dans l'empressement de Mme Van
Hottem à faire partir l'ex-femme de chambre
et son mari pour Java, où elle leur avait pro-
curé une fort belle situation ? Elle aimait mieux,
évidemment, savoir ce dangereux témoin loin
que près.

Mais les Vaillant ne réussirent pas, là-bas ;
le mari mourut, la femme quitta Java, et je
perdis sa trace. Ce n'est que depuis deux jours
que, après de vaines recherches en cent endroits,
j'ai appris qu'elle venait de revenir ici avec sa
sa fille et qu'elle se trouvait dans la plus profonde misère.

— Oui, je la connais, dit Stanislas.

Il avait jusque-là écouté en silence, dans une
immobilité complète. Ses yeux seuls parlaient,
exprimant tour à tour la stupeur, l'émotion poignante, l'horreur.

Le vieillard se leva lentement et dit d'une voix
grave :

— Vous comprenez maintenant que Stanislas
Dugand n'existe pas, qu'il n'y a ici que Ghislain
de Mornelles, comte de Vaulan, duc de Sailles,
et son humble serviteur, Martin Régent.

Stanislas se dressa debout, il saisit les mains du vieillard et les serra à les briser.

— Vous avez fait cela pour moi ? Comment reconnaîtrai-je jamais un tel dévouement ! Mais c'est inouï, ce que vous me racontez là ! Et pourtant, de plus en plus, je me souviens...

— J'ai des preuves, d'ailleurs, dit l'ex-intendant.

Il sortit de sa poche un petit carton et en tira une chaînette d'or à laquelle s'attachaient une médaille et un médaillon. Il ouvrit ce dernier et montra à Stanislas l'intérieur. Sur un des côtés se voyait le portrait d'un jeune homme auquel l'ingénieur ressemblait d'une manière frappante ; sur l'autre, ces mots gravés : *R. de Vaulan.* — *A. d'Erques.* Et au dessous : *Ghislain.*

— Vous portiez ceci au cou lorsque je vous enlevai du château de Sailles. Et j'ai également conservé votre linge, marqué à vos initiales par votre pauvre mère.

— Ma mère ! murmura le jeune homme d'une voix tremblante. Pauvre martyre ! Je m'explique maintenant l'antiphatie instinctive éprouvée par moi à l'égard de cette misérable baronne ! et aussi le mouvement de répulsion que j'eus à la vue de la Javanaise.

— Je crains qu'elles ne se doutent de quelque chose, car vous ressemblez tant à votre père ! Il faut nous hâter, il faut absolument faire parler cette Bertine.

— Avec de l'argent, je pense que nous y

parviendrons facilement. Quelle étourdissante ré-
vélation vous venez de me faire là ! Je me demande si je rêve, en vérité !

Le jeune homme se laissa tomber sur un siège
et demeura un long moment immobile, le front
pressé entre ses mains, cherchant à coordonner
ses idées, que l'incroyable récit du vieillard avait
complètement mises en débandade. Il releva tout
à coup les yeux et vit devant lui Martin Régent
toujours debout, froid et correct comme de
coutume, mais dont le regard rayonnant de
bonheur ne le quittait pas. Stanislas se releva
d'un bond et saisit de nouveau les mains du
vieillard.

— Mon cher, mon admirable protecteur ! Vous
m'avez sauvé de la mort, risquant pour moi
votre liberté ; vous avez remplacé mon père et
ma mère. Je n'ai pas de mots pour vous remercier, mais j'espère vous prouver mon immense
reconnaissance par l'affection filiale dont je
veux entourer toujours celui qui ne cessera
d'être pour moi « l'oncle Adrien ».

Une émotion profonde bouleversait le visage
d'ordinaire si rigide de Martin Régent. Un moment il resta sans voix. Puis, tout à coup, il dit
d'un ton grave et digne :

— Monsieur le duc, il ne doit plus y avoir
ici « d'oncle Adrien », mais seulement un serviteur respectueux et passionnément dévoué à
son maître. Je vous en prie ! ajouta-t-il en
voyant le geste d'ardente protestation esquissé

par Stanislas. Vous servir, vous entourer de
mon dévouement, vous, le dernier des Mornelles,
l'être charmant auquel je me suis donné tout
entier, voilà mon unique bonheur. Vous ne
voudrez pas me l'enlever, n'est-ce pas ?

— Non, c'est impossible ! cela ne doit pas
être !

— Si, si, cela est dans la logique. Chacun sa
place, en ce monde, voilà la sagesse. Je serai
pour vous Martin, votre vieux Martin qui ne
désire qu'une chose : vous voir continuer les
glorieuses traditions de votre race. C'est dans ce
but que j'ai tenu à faire de vous un homme
bien équilibré au moral et au physique, un
homme qui saura tenir comme nul autre sa
place en ce monde. Le duc de Sailles ne sera
pas de ces petits jeunes gens qui gaspillent leur
vie dans les cercles et les fêtes, il sera un
homme.

— Et pour cela surtout, quelle reconnaissance
ne vous dois-je pas !

Stanislas s'interrompit tout à coup. Son regard venait de tomber sur la chaînette d'or que
ses doigts tenaient encore. Longuement il regarda
la médaille. Elle était en or, très finement
gravée, et représentait sur une face l'image de
la Vierge de Lourdes. Sur l'autre étaient ins-
crits ces mots : *O Marie, conçue sans péché,
priez pour nous qui avons recours à vous.*

Stanislas leva les yeux vers le vieillard qui le
regardait avec un peu de surprise.

— J'étais donc catholique, puisque je portais ceci ?...

— Oui, monsieur le duc, vous étiez catholique comme tous ceux de votre race.

— Alors, pourquoi ?...

Une crispation passa sur le visage du vieillard, son regard devint soudain très dur.

— Pourquoi je vous ai élevé sans religion ? Eh bien ! j'avais tant vu ces femmes, ces misérables faire les hypocrites avec leurs dévotions, que moi, l'incroyant, j'en avais conçu une prévention irréductible qui englobait toutes les religions. Je me suis dit : il sera libre plus tard, moi je ne veux pas m'occuper de cette question. Il pourra fort bien être un honnête homme sans aller à la messe, comme le fait cette infernale créature qui a nom baronne Van Hottem.

— Eh quoi ! parce qu'une femme criminelle se couvre sacrilègement du manteau de la piété, laisserez-vous passer inaperçus tant de dévouements héroïques, tant de vertus, tant de hauteur d'âme inspirés par la religion ! cette religion qui fut celle de mes ancêtres, celle de ma mère ! Baptisé, je devais logiquement recevoir l'enseignement chrétien. Je vous en prie, ne considérez pas ces paroles comme un reproche, vous à qui je dois tant ! s'écria le jeune homme en voyant les traits de Martin Régent se contracter un peu. Vous avez agi pour le mieux.

— Oui, monsieur le duc, je l'ai fait avec

droiture, et sous l'empire de l'horreur inspirée
par la perversité de ces créatures. Depuis, à certains moments surtout, j'ai un peu réfléchi, je
me suis demandé si je n'avais pas eu tort, si je
n'avais pas méconnu la volonté de votre mère,
qui aurait certainement fait de vous un chrétien.
Et puis, il m'a été donné de voir certaines âmes
profondément, réellement religieuses.

— Les des Landies, n'est-ce pas ? dit vivement Stanislas. Mais, à ce propos, je vois de
moins en moins les raisons que vous pourriez
opposer à mon désir de demander la main de
Mlle Noella ?

— Comment, monsieur le duc, alors que vous
pourrez aspirer à de très hautes alliances, con-
formes à votre rang, vous songeriez encore à
cette jeune fille, charmante certainement, mais
de naissance inférieure à la vôtre, et qui occupe
dans la société une position subalterne ?

— Le travail abaisse-t-il donc, à votre avis ?
Pourtant, vous-même m'avez mis à même de
gagner ma vie. Et combien de grandes dames,
aux heures troublées de la Révolution, ont cher-
ché le soutien de leur existence dans des posi-
tions plus modestes encore que celle de Mlle des
Landies ! Celle-ci appartient à une antique famille de robe, qui a eu autrefois de fort belles
alliances. Et d'ailleurs, je vous l'avoue, cette
considération m'importe peu. Que je devienne
le duc de Sailles ou que je reste Stanislas Du-

gand, je n'aurai jamais d'autre femme que ma
chère Noella.

Une vive contrariété s'exprimait sur la physionomie du vieillard. Stanislas s'en aperçut aussitôt.

— Je vous mécontente, mon cher vieil ami ?
dit-il en lui prenant la main. Cependant, puisque vous m'aimez, songez que là se trouve mon
bonheur. Bien volontiers, j'abandonnerais ce titre et cette fortune si pour cela je devais renoncer à elle.

Le vieillard secoua lentement la tête.

— Oui, vous l'aimez trop pour que j'aie l'espoir de vous faire changer d'avis. Votre cœur
n'est pas de ceux qui varient. Que voulez-vous,
monsieur le duc, je suis un vieil orgueilleux, non
pour moi, mais pour vous. J'avais rêvé une
alliance magnifique, qui rehausserait encore la
gloire de votre maison. Vous pouviez réellement
prétendre à tout.

Une exaltation contenue vibrait dans sa voix,
et Stanislas regardait, surpris et ému, cet être
singulier qui avait tout sacrifié pour lui, parce
qu'il était l'héritier de la vieille race à laquelle
tous les siens s'étaient passionnément dévoués.
En ce siècle sceptique et révolté où le maître
est l'ennemi, Martin Régent était un noble et
touchant rappel du passé.

— Enfin, faites comme il vous plaira, mon-

sieur le duc, conclut-il avec un soupir. Avant
toute chose, je veux vous voir heureux. Et maintenant, si vous le voulez bien, nous allons
combiner notre plan de campagne.

TROISIEME PARTIE

ROSE DE NOEL

I

Rumeurs d'hostilités

Un pâle soleil de commencement de décembre venait frapper les vitres de la masure et, à travers la couche de poussière et de toiles d'araignées qui les couvrait, éclairait d'un vague rayonnement le visage émacié de Julienne Vaillant, ses petites mains exsangues, ses blonds cheveux tressés en une longue natte étendue sur les vieilles couvertures de laine brune — car les draps étaient un luxe inconnu dans le misérable logis. Au chevet de la jeune fille était assise Noella. Elle tenait une des mains de Julienne et lui parlait avec une tendre affection qui mettait une lueur de joie douce sur la physionomie souffrante de la jeune malade.

— J'aime tant vous entendre, mademoiselle ! Vous avez une si jolie voix, et vous êtes si bonne ! Je voudrais vous voir tous les jours, mais je sais bien que c'est impossible ! ajouta la jeune infirme avec un soupir.

— Hélas ! oui, ma pauvre enfant ! Sans cela, je serais si heureuse de vous donner un peu de temps chaque jour ! Mais votre mère vous soigne avec dévouement, elle semble très bonne pour vous.

Une ombre douloureuse parut voiler soudain les grands yeux de Julienne.

— Oh ! oui, pauvre maman ! Et elle souffre tant de me voir malade !

Les petites mains maigres se joignirent sur la couverture, la malade ferma les yeux, et, tout à coup, Noella vit des larmes couler lentement sur les joues trop blanches.

— Julienne, qu'avez-vous, mon enfant ?

La jeune fille ouvrit les yeux, un sanglot la serra à la gorge.

— Oh ! mademoiselle, vous avez vu comme elle était, la dernière fois que vous êtes venue ! J'ai tant souffert ce jour-là ! Je crois que c'est depuis lors que je suis plus malade.

— Ma pauvre petite ! Mais si vous lui demandiez doucement de renoncer à cette triste habitude, pour l'amour de vous ?

— Oh ! je l'ai fait souvent, mademoiselle ! Elle me promettait toujours ; pendant un peu de temps, en effet, elle cessait, et puis c'était à recommencer. Et elle dit alors des choses si étranges ! Elle parle du château de Sailles, de poison, d'enfant disparu... Oh ! que je souffre de la voir ainsi, mon Dieu, mon Dieu !

Elle sanglotait, la tête entre ses mains. Tendrement, Noella essaya de la consoler, elle parvint enfin à arrêter cette crise de larmes qui épuisait la pauvre enfant.

— Il ne faut pas vous désoler ainsi, ma chère petite, dit la jeune fille en essuyant maternellement les yeux rougis de la malade. Vous empêcherez la guérison de venir vite, comme nous le souhaitons tous.

Julienne secoua lentement la tête.

— Oh ! je ne guérirai pas ! dit-elle avec un calme navrant. Depuis cette chute, je sens que je m'affaiblis chaque jour. Si ce n'était ma pauvre maman, je serais heureuse de m'en aller là-haut, près de Dieu. Mais quand je ne serai plus là, vous ne l'abandonnerez pas, cette pauvre mère ? Il faudra venir quelquefois lui parler du bon Dieu, car elle l'a oublié, elle ne pratique plus. M. Dugand non plus ne la laissera pas de côté. Il est si bon, lui aussi ! Il y a quelques jours, il est venu avec son oncle, un grand vieux monsieur un peu froid, mais très bien. Celui-ci est revenu seul hier, il a donné à maman un peu d'argent pour m'acheter une bonne nourriture.

Noella n'ignorait pas l'arrivée du vieillard. Quatre jours auparavant, M. de Ravines, en revenant de l'usine, avait dit en se mettant à table :

— M. Dugand a en ce moment son oncle chez lui.

Hier, le vieillard était venu, accompagné de son neveu, rendre visite à Mme de Ravines. Il

avait aussi demandé à voir Noella, mais la jeune
fille se trouvait précisément en promenade avec
son élève. Il avait annoncé qu'il reviendrait
quelques jours plus tard, et ceci avait semblé à
Noella d'heureux augure pour l'approbation at-
tendue au projet de fiançailles conclu entre
Stanislas et elle.

L'heure s'avançait, elle dut prendre congé de
la jeune infirme. En traversant la petite pièce
qui précédait celle où couchait Julienne, elle
s'arrêta devant la mère occupée à repriser quelques hardes.

— Je la trouve vraiment un peu mieux, ce
matin, madame Vaillant.

La femme leva vers elle un regard morne et
secoua la tête.

— Le docteur avait hier en sortant un air
qui ne disait rien de bon. Elle s'en va, ma
Julienne, ma chérie !

Elle laissa échapper la jupe qu'elle tenait.

— Je ne peux rien pour la sauver ! Il me faut
la laisser s'en aller comme cela. Ah ! n'est-ce
pas Dieu qui me punit !

Dans son regard passait une expression de
farouche désespoir. Sa main tremblante saisit
brusquement le bras de Noella.

— Dites, est-ce qu'on n'est pas quelquefois
puni dans ceux qu'on aime ?

— Oui, quelquefois. Mais si on se repent, si
on répare, Dieu peut pardonner.

La femme se dressa debout, ses yeux devinrent hagards.

— Réparer ? Comment voulez-vous que je répare ? Elle est morte, l'enfant a disparu ; et puis, si elles soupçonnent quelque chose, elles me tueront.

Elle s'interrompit brusquement et passa la main sur son front.

— Qu'est-ce que je dis ? Ne faites pas attention, je suis folle.

Un coup bref fut frappé à la porte. La femme alla ouvrir, et Noella vit se dresser sur le seuil la haute silhouette de M. Adrien Dugand.

— Ah ! Mademoiselle des Landies ! dit-il en saluant. Je suis très heureux de vous rencontrer, mademoiselle, car je regrettais vivement de ne pas vous avoir vue l'autre jour à Rocherouge.

Il serra la main que lui tendait la jeune fille, s'informa des nouvelles de la famille des Landies, puis Noella s'éloigna pour regagner Rocherouge.

Dans son cerveau résonnaient encore les dernières paroles de Mme Vaillant. Quelle faute, quel crime peut-être, avait commis cette femme? Elle était si absorbée dans ses pensées qu'elle n'entendait pas, derrière elle, un pas souple et pressé. Elle eut un léger sursaut lorsque s'éleva la voix de Stanislas.

— Mademoiselle Noella, je souhaiterais, si vous me le permettez, vous parler un instant.

Elle se retourna, et, avec un sourire, lui tendit la main.

— Je permets volontiers. De quoi s'agit-il ?

— De notre mariage. Mon oncle, vous le savez, a enfin reparu.

— Oui, je viens de le voir chez la femme Vaillant.

— Il me laisse entièrement libre, comme je l'avais prévu. Et pourtant, je viens vous demander de me faire crédit un peu de temps encore pour l'officielle demande en mariage.

Noella le regarda avec une suprise intense à laquelle se mêlait quelque anxiété. Stanislas, se penchant un peu, prit sa main entre les siennes, et plongea son regard loyal et grave dans celui de la jeune fille.

— Mon oncle m'a révélé des faits qui peuvent transformer mon avenir. Mais n'allez pas vous inquiéter, surtout ? Quoi qu'il arrive, vous demeurerez toujours ma chère fiancée. Pardonnez-moi d'être si mystérieux ; je le répète, bientôt j'espère pouvoir éclaircir cette énigme.

— J'ai toute confiance en vous, interrompit gravement Noella. J'attendrai tant que vous le jugerez utile, je ne douterai jamais de vous.

— Merci, Noella, ma douce sagesse, comme le dit si bien notre cher Pierre ! Et à bientôt, je l'espère. Priez beaucoup pour moi.

Il s'inclina, effleura de ses lèvres les doigts Noella, et s'éloigna rapidement dans un chemin transversal.

En cet endroit, la route était bordée d'épais
fourrés. Blottie derrière un buisson, une femme
enveloppée d'une mante brune regardait et écoutait les deux jeunes gens. Et ses yeux noirs brillaient d'un feu sauvage en s'attachant sur Stanislas Dugand.

En rentrant à l'usine, l'ingénieur s'en alla vers
les ateliers. M. Holker et M. de Ravines y arrivèrent presque aussitôt, on discuta un nouveau
type d'automobile, et l'heure du déjeuner était
passée de vingt minutes lorsque Stanislas put
enfin regagner son pavillon.

Dans la petite salle à manger où un couvert
à deux était dressé, Martin Régent se trouvait
assis, le front entre ses mains. Il redressa la
tête à l'entrée du jeune homme et se leva.

— Je vous ai fait bien attendre ! Il fallait
commencer sans moi, mon bon oncle.

La protestation qui allait sortir des lèvres du
vieillard s'arrêta net à l'entrée de la servante
apportant le premier plat. Stanislas prit place
à table, et l'ex-intendant s'assit en reculant un
peu sur le côté le couvert que la servante mettait
tout naturellement en face de celui de l'ingénieur. Or, Martin Régent estimait que là n'était
pas sa place, et, malgré les observations affec-
tueuses du jeune homme, s'obstinait à faire chaque jour ce petit manège destiné à sauvegarder
les distances entre le duc de Sailles et son serviteur.

— Laissez-nous, Adolphine, nous vous son-

nerons lorsque nous aurons besoin de vous, dit
Stanislas à la servante qui allait et venait dans
la salle, sous prétexte de ranger ceci ou cela, ou
d'enlever quelques grains de poussière oubliés
sur un meuble.

— Parlons bas, car elle pourrait écouter derrière la porte, dit Stanislas. Eh bien ! cette
Bertine a-t-elle laissé échapper quelque chose ?

— Rien encore, hélas ! Je crois que la chose
sera dure. Quand je lui ai demandé pourquoi
elle était revenue ici, au lieu de rester à Mar-
seille où elle avait vécu plusieurs années après
avoir quitté Java, elle a murmuré : « Je ne sais
pas... c'était plus fort que moi, il fallait que je
revienne au pays... Et puis, j'espérais que l'air
d'ici ferait du bien à Julienne... » Je crois que
cette femme a été dirigée par l'irrésistible sentiment qui pousse certains coupables à revenir
sur le lieu de leurs fautes. Mais elle parlera
difficilement, peut-être par crainte de la ven-
geance des misérables de là-haut. Cependant, le
temps presse, car certainement la baronne, à
cause de votre ressemblance avec votre père, se
doute de quelque chose. Claudiet, ce brave paysan qui m'a si fidèlement servi et que j'ai revu
ces jours derniers, m'a appris tout à l'heure que
la Javanaise rôdait dans les bois. On vous sur-
veille, monsieur le duc, défiez-vous ! De mon
côté, je veillerai sur vous jour et nuit. Ces
femmes jouent en ce moment leur dernière partie, rien ne leur coûtera pour la gagner, pour

faire disparaître à jamais ce spectre de Ghislain
de Vaulan qui doit les hanter comme une terreur
perpétuelle.

— Mais ne craignez-vous pas, vous-même,
d'être reconnu ?

— Pour m'en assurer, je suis entré chez Claudiet sans dire mon nom, j'ai causé un instant
avec lui, et lorsqu'enfin je me suis dévoilé, il
m'a déclaré qu'il ne se serait jamais douté que
ce vieillard à cheveux blancs fût le même que
l'homme vigoureux et d'apparence encore jeune
qu'il avait conduit naguère dans sa carriole, le
jour où il s'enfuyait avec le petit Ghislain. Non,
ceci ne m'inquiète pas. Ce qu'il faudrait, c'est
faire parler Bertine.

Il appuya sa tête sur sa main et s'absorba
dans une profonde songerie. Devant lui, Stanislas, le regard pensif, jouait machinalement
avec son couteau.

— J'ai rencontré ce matin Mlle des Landies,
qui m'a dit vous avoir vu, fit le jeune homme
au bout d'un moment.

— Oui, chez Bertine. Lui avez-vous appris,
monsieur le duc ?

— Non, rien, mon bon ami. A la réflexion,
j'ai pensé que la pauvre enfant avait assez de
tourments sans aller l'inquiéter encore par la
pensée des dangers possibles qui m'attendent.
Je lui ai simplement laissé entrevoir que mon
avenir était sur le point d'être changé, que
j'attendais d'être fixé pour faire des fiançailles

officielles, mais que, de toutes façons, rien ne
serait changé entre nous. Et elle m'a alors déclaré son entière confiance avec une spontanéité
si charmante, ma bien-aimée Noella !

— Il ne manquerait que cela, qu'elle n'ait pas
confiance en vous, dit le vieillard d'un ton de
protestatation qui fit sourire gaiement Stanislas.
Il y a longtemps qu'elle a dû s'apercevoir de ce
que vous valez et s'assurer que vous n'êtes pas
un homme à manquer de parole. C'est égal,
voilà une jeune personne qui aura de la chance
d'avoir un mari comme vous ! Mais, je vous en
prie, monsieur le duc, prenez garde, veillez aux
embûches des coquines de là-haut, pour qui une
victime de plus ne comptera pas.

....

A cette même heure, Mme Van Hottem et
son fils quittaient la salle à manger du château
de Sailles pour rentrer dans le salon où la baronne passait une partie de ses journées. Sa
santé, jusque-là très vigoureuse, s'altérait depuis
quelque temps. Et aujourd'hui, elle semblait si
distraite, si visiblement soucieuse, que l'égoïste
Pieter s'avisa enfin de le remarquer.

— Qu'avez-vous donc, ma mère ? demanda-t-
il en s'enfonçant dans un confortable fauteuil.

— Mais je n'ai rien, mon cher enfant, répondit-elle avec son calme accoutumé.

— Si, vous avez l'air tout chose, aujourd'hui.

Je me demande pourtant ce qui peut vous
tourmenter. Je suis immensément riche, je me
porte bien, je suis à la veille de demander la
la main de la belle Charlotte de Ravines — car,
vraiment, je peux me donner le luxe d'épouser
une jolie femme, surtout pourvue, comme elle,
d'une dot assez rondelette qui servira à payer
ses toilettes. Oui, vraiment, ma mère, je me demande ce qui vous rend si sombre depuis quelque temps. On croirait, ma parole, que vous
avez vu réapparaître le fameux petit Ghislain !

Il éclata d'un rire bruyant. Mais sa mère
avait eu un brusque sursaut qui ne lui échappa
pas, non plus que la teinte livide répandue soudain sur son visage.

— Est-ce que par hasard, j'aurais dit vrai
en plaisantant ? Est-ce que... il aurait reparu ?
dit-il d'une voix un peu rauque, en se levant
brusquement.

Les lèvres tremblantes de la baronne essayè-
rent de sourire.

— Tu te montes l'imagination, mon enfant.
Il n'est pas question de pareille chose.

— Si, si, maintenant je me doute que ce doit
être cela qui vous tourmente ! Comment avez-
vous su ?... Où est ce Ghislain ?... Que deman-
de-t-il ?...

— Ne t'inquiète pas... Il n'y a rien... Rien du
tout.

— Allons donc, vous ne me ferez pas accroire
cela ! Il n'est pas dans vos habitudes de vous

émouvoir facilement. Dites-moi ce qui en est,
je veux savoir !

Il avait saisi le bras de sa mère et frappait
du pied avec colère.

— Allons, ne te fâche pas, Pieter. Je voulais
t'éviter ces petits ennuis ; car vraiment il n'y a
rien de plus. Voici le fait : j'ai été fortement
troublée par la ressemblance extraordinaire exis-
tant entre le portrait de Gérard de Mornelles et...
M. Dugand !

Pieter eut une exclamation.

— M. Dugand ! Maurice disait quelque chose
comme cela l'autre jour.

— Et je me suis empressée de déclarer que
je n'avais rien remarqué. Mais tu vas voir,
Pieter, si j'exagère.

Elle se leva, marcha vers un petit bureau et
prit dans le tiroir une photographie qu'elle tendit
à son fils.

— C'est pourtant vrai ! dit Pieter avec stupeur. C'est lui, positivement ! Parbleu ! on aurait
dit que je me doutais de quelque chose, car ce
personnage m'a déplu dès le premier jour. Mais
enfin, vous n'êtes pas sûre que ce soit Ghislain ?
La ressemblance peut être fortuite.

— Evidemment. C'est pourquoi je te répète
qu'il n'y a pas lieu de se tourmenter d'avance.
En ce moment, je prends des renseignements
pour savoir ce qu'est réellement ce jeune homme, à quelle famille il appartient.

— Mais après tout, que nous importe ! interrompit vivement Pieter. La fortune nous a été léguée par un testament en bonne et due forme, il ne peut donc prétendre qu'au titre... ce qui est déjà joli, ma foi ! Car avec cela il ne sera pas en peine de faire un beau mariage ! ajouta le jeune homme d'un ton envieux.

Les traits de la baronne eurent une rapide, mais violente contraction.

— Il peut faire un procès; murmura-t-elle.

— Un procès ! A quel propos ? Le testament serait-il attaquable par quelque point ?

— Le notaire m'a toujours assuré qu'il n'y avait rien à y reprendre. Mais enfin, ce jeune homme peut tenter, malgré tout.

— Eh bien ! Il perdra son procès, cela ne fait pas l'ombre d'un doute. Vous avez raison, ma mère, il n'y a pas de quoi s'inquiéter. Tout au plus pouvons-nous prévoir quelques petits ennuis passagers, si ce présumé Ghilain de Vaulan s'avise de faire valoir ses droits.

Un domestique ouvrit en ce moment une des portes du salon.

— Akelma demande si madame la baronne peut monter un instant dans son appartement ?

— Est-ce donc si pressé ? dit Pieter d'un ton de mauvaise humeur en voyant sa mère se diriger aussitôt vers la porte.

— Oui, assez. Je vais redescendre dans un moment.

En montant, la baronne se hâtait malgré son embonpoint. Elle entra dans la chambre, ferma

soigneusement la porte et se dirigea vers Akelma
qui se tenait debout près d'une fenêtre.

Toutes deux causèrent pendant un long instant à voix très basse. La baronne, à un moment, laissa échapper une exclamation de terreur. En terminant l'entretien Akelma murmura,
dans un chuchotement :

— Nous avons affaire cette fois à forte partie, nous risquons tout. Si nous réussissons, notre
petit Pieter sera alors maître sans conteste de
la fortune du duc de Sailles. Sinon...

— Tais-toi ! s'écria la baronne en lui mettant
la main sur la bouche. Je ne veux pas envisager
cette éventualité terrible. Avoir surmonté comme je l'ai fait tous les obstacles — et à quel
prix ! — pour en arriver là ! Akelma, il faut
combiner quelque chose, un piège où nous les
prendrons tous.

Une flamme cruelle passa dans les yeux brillants de la Javanaise.

— Comptez sur votre servante, madame, dit-
elle en se penchant pour poser ses lèvres sur la
main de sa maîtresse.

II

Enlevée !

— Voilà encore père qui ramène à dîner son inévitable ingénieur ! murmura Charlotte de Ravines en se reculant de la fenêtre où elle était accoudée.

Sa mère interrompit sa broderie et leva les yeux.

— Je ne m'en plains pas, car les distractions sont rares ici à cette époque, et M. Dugand est un causeur excessivement agréable. Je suis vraiment contente de voir cette relation à Maurice.

Charlotte eut un petit rire étouffé.

— Maurice ! N'avez-vous pas remarqué, maman, que son engouement a considérablement diminué depuis notre petite fête de la semaine dernière ?

— Non. C'est-à-dire, en y réfléchissant, oui, peut-être. Il n'en parle plus guère et n'a pas fait depuis lors une seule promenade avec lui. Mais que s'est-il passé entre eux ?

— Ils ne m'en ont rien dit, mais je présume volontiers ceci : Maurice est jaloux de M. Dugand, parce qu'il s'est aperçu que Mlle des Landies plaisait fort à l'ingénieur.

Mme de Ravines eut une exclamation et lâcha sa broderie qui glissa à terre.

— Maurice, jaloux ?... A cause de Mlle Noella ?

— Que voulez-vous, maman, c'était chose à prévoir ! Je m'attends, chaque jour, à le voir vous annoncer sa volonté de faire de cette jeune fille Mme d'Aubars. Un joli rêve, ma foi, pour une personne sans le sou !

La physionomie de Mme de Ravines offrait l'image de la plus profonde consternation.

— Une jeune fille que l'on m'assurait si sérieuse, et qui le semblait si bien, en effet !

— Sérieuse ou non, vous auriez dû vous défier, surtout avec Maurice si enthousiaste.

— C'était sa qualité d'excellente musicienne qui m'avait décidée. Et elle paraissait si peu coquette ! Quel ennui, Seigneur, quel ennui ! Maintenant, il va me falloir trouver un prétexte pour lui annoncer que je n'ai plus besoin de ses services. Si tu as deviné juste, Maurice sera furieux, il me déclarera qu'il veut l'épouser, et partira pour Pau faire sa demande... Comment nous tirer de là ?

— Il y aurait un moyen : ce serait de paraître croire devant Maurice qu'elle retourne à Pau pour être fiancée à M. Dugand.

— Tiens, tu as une bonne idée, Charlotte ! Mais si Maurice lui parle quand même ?

— Maurice a des sentiments qui lui feront

regarder comme indélicat d'adresser une demande en mariage à une jeune fille presque promise à un autre.

— Eh bien ! nous essayerons cela. Aussi bien, nous n'avons pas d'autres moyens. Et après tout, ne se pourrait-il pas que nous disions la vérité, et qu'il soit question de fiançailles entre ces deux jeunes gens qui se sont déjà connus à Pau ?

Les lèvres fines de Charlotte eurent une rapide crispation.

— En admettant qu'elle lui plaise, il y regardera à deux fois, car ce serait pour lui une fameuse charge ! Avec sa position qui s'annonce assez belle, il peut prétendre à un autre mariage.

— Oh ! certainement ! Du reste, cela m'importe peu, pourvu que je puisse faire durer l'obstacle, représenté par ces soi-disant fiançailles, assez de temps pour que Maurice perde l'idée de cette folie. Il faudra, pour plus de sûreté, lui insinuer l'idée d'un voyage. Tu pourrais, par exemple, lui demander de t'accompagner en Italie.

— Merci bien ! Si vous croyez que je vais m'éloigner précisément au moment où mon mariage avec le baron Van Hottem paraît s'arranger tout à fait !

Mme de Ravines regarda sa fille d'un air perplexe.

— Sérieusement, Charlotte, ce mariage te plairait ?

— A cause de la fortune, oui. Evidemment, Pieter n'est pas mon rêve, mais enfin, il ne sera pas un mauvais mari, et on ne peut pas tout avoir, acheva-t-elle avec une sorte d'âpreté dans la voix.

Mme de Ravines secoua la tête.

— C'est égal, j'aurais voulu pour toi quelqu'un de mieux que ce pauvre Pieter. Et je ne suis pas si sûre que cela qu'il soit un bon mari.

Charlotte eut un orgueilleux mouvement de tête.

— Je saurai le diriger, rassurez-vous. Je ne suis pas d'un caractère à me laisser dominer.

Elle s'interrompit. La porte venait de s'ouvrir sous une main très vive, et Marcelle entrait, suivie de Noella. Un peu en arrière apparaissaient M. de Ravines et Stanislas.

— Maman, M. Dugand vient dîner avec nous! s'écria la fillette. Et il m'a apporté de la Font-aux-Dames de très jolies choses pétrifiées.

Fort heureusement, la verve de Marcelle ne connaissait pas d'arrêt, non plus que la loquacité de son père, car autrement le dîner eût été particulièrement morne ce soir. Stanislas se montrait peu causeur et visiblement préoccupé. Il ne s'attarda pas après le repas, malgré les instances de M. de Ravines, en prétextant que son oncle l'attendait toujours avec impatience.

Lorsque le jeune homme se fut éloigné, Noella

remonta avec son élève dans la chambre de
celle-ci. Elle s'y trouvait depuis un quart
d'heure, et Marcelle commençait déjà à se déshabiller, lorsque la cloche de la grille d'entrée
fut agitée violemment, en même temps que
s'élevaient les aboiements des chiens de garde.

— Qui donc arrive à cette heure ? Oh ! mademoiselle, votre chambre donne sur la cour,
allons voir ce que c'est !

— Restez en repos, petite curieuse ! Qu'avez-
vous besoin de vous occuper de cela ?

Marcelle eut une légère moue, mais obéit
pourtant et continua à se déshabiller. Tout à
coup, la porte de la maison fut ouverte, des
voix s'élevèrent, des exclamations retentirent.

— Oh ! mais, il y a quelque chose, décidément ! s'écria Marcelle n'y tenant plus.

D'un bond, elle était à la porte, puis dans
l'escalier.

Mais la fillette n'écoutait rien, et Noella dut
la suivre, d'autant plus volontiers qu'elle venait
de reconnaître tout à coup la voix de Stanislas.

Il était en effet debout dans le vestibule, entouré des maîtres et du personnel de Rocherouge.
En un clin d'œil, Noella vit son visage très pâle,
couvert de poussière et de sang.

— Vous êtes blessé ?

Ces mots s'échappèrent avec peine de sa gorge
soudain serrée.

— Ce n'est rien, rien du tout, mademoiselle !

Stanislas, écartant d'un gesta ceux qui l'entouraient, s'avança un peu vers elle.

— Comme je l'expliquais précisément, ma voiture a rencontré tout près d'ici un obstacle inattendu, elle a versé, et j'en suis quitte pour quelques contusions et cette petite blessure à la tête.

— Blessure que nous allons soigner, mon cher ami ! s'écria M. de Ravines. Alberte, il faudrait du linge. Est-ce vous qui faites le pensement ?

— Je vous avoue, mon ami, que je suis fort inhabile, et si nerveuse que la vue du sang m'impressionne extrêmement, avoua Mme de Ravines.

— Eh bien ! Charlotte ?

Tout en parlant, M. de Ravines regardait autour de lui. Mais Charlotte, qui se trouvait là tout à l'heure, venait de disparaître.

— Mlle Noella sait si bien soigner les malades ! s'écria Marcelle.

— Mais c'est vrai, au fait ! Mademoiselle, voulez-vous ?

— Volontiers, répondit la voix tremblante de Noella.

Un peu après, Stanislas était assis dans le salon, et les petites mains adroites de sa fiancée opéraient le pensement. Après quoi, ayant avalé un cordial, il se leva en déclarant qu'il allait se hâter de rentrer, son oncle devant être dans une inquiétude mortelle.

— J'ai fait atteler une voiture, dit M. de

Ravines. Mais vous êtes-vous rendu compte de la nature de cet obstacle ?

— C'était un cadavre de chien, jeté au tournant de la route, au moment précis où ma voiture arrivait. Je n'ai pas eu le temps de serrer les freins.

— Mais ce serait donc un acte de malveillance ? s'écria Maurice.

— Il n'y a pas de doute à ce sujet, déclara nettement l'ingénieur.

— Avez-vous donc des ennemis, mon cher Dugand ? demanda vivement M. de Ravines.

— Oui, monsieur. Et peut-être bientôt vous demanderai-je de vous souvenir de ce qui s'est passé ce soir.

— Que voulez-vous dire ?

— Pardonnez-moi de ne pouvoir être plus explicite pour le moment. Et recevez mes meilleurs remerciements pour les soins dont vous m'avez entouré.

Il serra les mains que lui tendaient M. de Ravines, sa femme et Maurice, et pressa un peu plus longuement celle de Noella en murmurant :

— Priez !

— Mais enfin, monsieur Dugand, vous allez au moins faire une déposition, prévenir la justice, dit M. de Ravines en conduisant l'ingénieur jusqu'à la voiture. Et puisque vous avez des soupçons, il sera facile, peut-être, de découvrir les lâches qui...

— Oh ! ne craignez rien, les coupables seront

punis, en bloc... ou bien j'y resterai ! répliqua
Stanislas avec énergie.

Noella emmena son élève, très excitée par
l'aventure. Comme elles passaient devant la
chambre de Charlotte, la porte s'ouvrit, laissant
apparaître la jeune fille, encore vêtue de la
robe claire qu'elle portait pour le dîner.

— Eh bien ! ce blessé ?... demanda-t-elle d'un
ton qu'elle voulait rendre indifférent, mais où
passait comme une vague anxiété.

— Il en est quitte pour peu de chose, grâce
à Dieu ! répondit Noella dont la voix tremblait
un peu d'angoisse rétrospective.

— Dis donc, tu t'es joliment bien sauvée, toi !
s'écria Marcelle, l'enfant terrible. On voit que
les blessés te font peur. Heureusement que
Mlle Noella n'est pas comme toi. Ses mains
tremblaient bien, pourtant, elle était toute pâle,
mais elle a eu vite fait d'arranger ce pauvre
Dugand, qui avait l'air bien content d'être soigné
par elle, du reste.

— Cela prouve que Mlle des Landies n'a pas
le cœur sensible ! répliqua Charlotte dont le
visage un peu pâli était devenu pourpre à la
réflexion de sa cadette.

Elle ferma brusquement sa porte, et Noella
entraîna la fillette vers sa chambre.

Quelques instants plus tard, Noella, agenouillée dans sa chambre, priait avec ferveur pour
son fiancé. Ce soir, elle avait compris qu'un
danger menaçait Stanislas. Lequel, et de la part

de qui, elle ne pouvait le deviner. Mais ses
supplications ne cesseraient de s'élever chaque
jour vers le ciel jusqu'au jour où elle verrait
s'écarter ce voile de mystère.

Mme de Ravines était bien décidée à ne pas
conserver l'institutrice de sa fille, mais elle se
demandait avec ennui quel prétexte elle invo-
querait. Jamais elle n'avait eu un reproche à
adresser à Noella, qui réunissait toutes les qualités rêvées. D'autre part, Marcelle affectionnait
la jeune fille de toute l'ardeur de sa nature enthousiaste, et ne manquerait pas de jeter les
hauts cris à l'annonce d'un départ non motivé
par une raison sérieuse. Maurice, alors, se doute-
rait peut-être du véritable motif.

Une circonstance imprévue vint fort à propos
la tirer d'embarras. Deux jours après l'accident
de Stanislas, elle reçut une lettre de la marraine
de Marcelle, qui venait de s'installer à Cannes et
demandait qu'on lui donnât la fillette pour le
reste de l'hiver.

« Je suis seule et triste, écrivait-elle, ce sera
pour moi un bonheur de m'occuper de ma chère
petite filleule, de la promener, de l'instruire. »

Tout aussitôt, Mme de Ravines prit prétexte
de cette phrase pour déclarer que Mme de Reyan
témoignant cette intention, l'institutrice était
inutile, et qu'il serait même peu poli de la faire

suivre son élève, car la marraine verrait peut-
être là un doute sur ses facultés d'institutrice
et de surveillance. En conséquence, Noella fut
avertie, fort aimablement, que l'on se trouvait
obligé de se priver de ses services.

Marcelle demeura fort perplexe, partagée entre son affection pour Mlle des Landies et celle
qu'elle portait à sa marraine dont elle était très
gâtée.

— Mais vous reviendrez quand je serai de
retour ici, au printemps, mademoiselle Noella !
s'écria-t-elle en embrassant la jeune fille.

Noella répondit vaguement. Elle avait l'intuition que ce congé était définitif. Depuis deux
jours, Mme de Ravines n'était plus la même
pour elle. Et elle avait surpris une lueur de
joie méchante dans le regard de Charlotte lorsque sa mère avait fait part à l'institutrice de
sa décision.

Peu de temps auparavant, la perte de cette
situation bien rémunérée eût été un coup dou-
loureux, surtout en ce moment où Mme des
Landies et Vitaline avaient besoin de soins
assez coûteux. Mais, sans doute, elle ne tarde-
rait pas à devenir la femme de Stanislas, et son
sort se trouverait définitivement fixé, sous la
protection forte et tendre de cet être chevaleresque.

Marcelle ne devant partir que huit jours
plus tard, Noella, sur la demande de son élève,
restait jusqu'à ce moment. Mais les leçons se

trouvaient à peu près interrompues, et, profitant de sa liberté presque complète, la jeune
fille, le lendemain du jour où lui avait parlé
Mme de Ravines, s'habilla dans l'intention de
se rendre près de Julienne Vaillant, qu'elle n'a-
vait pas vue depuis quelque temps. Dans le
vestibule, elle croisa M. de Ravines et Maurice
qui causaient avec un contremaître de l'usine
d'Eyrans. Au passage, elle entendit ces mots
prononcés par ce dernier :

— Mais oui, monsieur, c'est bien curieux, on
dirait que M. Dugand ne tient pas à faire chercher les coupables ! Pourtant, il l'a échappé
belle, ma foi, il aurait pu se rompre la tête au
lieu d'avoir cette petite blessure dont il est déjà
guéri.

Tout en sortant de Rocherouge, Noella songeait qu'en effet cet accident était bien singulier,
tant à cause de cette malveillance inexplicable
dont avait été victime l'ingénieur, déjà très
aimé de ses ouvriers et estimé de tous dans le
pays, que par ce peu d'empressement du jeune
homme à faire la lumière sur cet acte évidemment criminel.

Comme la jeune fille s'engageait sur la route,
elle vit venir devant elle le curé de Saint-Pierre,
qui eut une exclamation en la reconnaissant.

— Ah ! tant mieux ! J'allais justement à Rocherouge pour vous parler, mademoiselle. La
pauvre Julienne se meurt, elle voudrait vous
voir.

— Julienne ! Quoi, si vite !

— Oui, ce matin elle s'est trouvée plus mal, tout à l'heure je l'ai administrée. Ce n'est plus maintenant qu'une question d'heures, pauvre petite. Un ange, cette enfant !

— J'y allais justement, monsieur le curé. Ma pauvre Julienne !

Elle salua le prêtre et se hâta vers la chaumière. Personne ne répondant au coup frappé à la porte, elle entra, traversa la petite pièce et pénétra dans l'étroit taudis qui était la chambre de Julienne. La malade, les mains jointes, paraissait prier. Un peu en arrière du lit était assise sa mère. La malheureuse, les traits crispés, les yeux gonflés, offrait l'image d'une désolation farouche. Elle ne bougea pas à l'entrée de Noella, mais Julienne tourna la tête, et un sourire de contentement éclaira son visage émacié.

— Ah ! quel bonheur ! M. le curé m'avait bien dit qu'il vous obtiendrait la permission de venir, chère demoiselle !

Les doigts de Noella pressèrent doucement la petite main qui se tendait vers elle.

— Oui, je l'ai rencontré comme je venais précisément ici, et il m'a dit que ma petite amie se trouvait plus fatiguée aujourd'hui.

— Beaucoup plus. C'est vraiment la fin, cette fois ! Oh ! je le sens bien, allez ! ajouta-t-elle en voyant le geste de protestation de la jeune fille. S'il n'y avait que moi, je serais heureuse, mais...

Elle tourna péniblement la tête et jeta un regard vers sa mère toujours immobile.

— Maman, ne vous désolez pas ainsi ! La vie est si courte ! Bientôt nous nous retrouverons là-haut, pourvu que vous vouliez bien penser au bon Dieu et le servir de votre mieux.

La femme se leva brusquement, un sanglot déchira sa gorge.

— Ah ! Tu crois que je vais te laisser partir de bon cœur ! J'en ai déjà trois qui m'ont quittée comme cela, il ne me reste plus que toi, la dernière, et il faut que je te donne encore ! Après cela, qu'est-ce que ton Dieu pourra bien faire encore pour me punir ?

Les mots s'échappaient, pressés et violents, de ses lèvres desséchées.

— Qu'on m'arrache le cœur, si on veut, mais que tu vives, ma fille, ma Julienne !

Elle avait saisi les frêles petites mains et les baisait éperdument. Julienne, blanche comme un marbre, tremblait de tous ses membres.

Noella, qui retenait avec peine ses larmes, devant cette scène navrante se pencha vers la mère.

— Ma pauvre femme, vous lui faites mal ! Voyez.

La malheureuse se redressa, et, raidie par la douleur, étouffant ses sanglots, sortit de la chambre.

— Maman, maman ! murmura Julienne.

Des larmes coulaient le long de ses joues creusées, ses mains se joignaient convulsivement.

— Que va-t-elle devenir quand je serai partie ? Oh ! comme je vais prier pour elle, là-haut ! Et vous viendrez la voir quelquefois, mademoiselle ? Vous ne l'abandonnerez pas ?

Noella, retenant les sanglots qui lui serraient la gorge, rassura la jeune mourante. En effet, si elle quittait momentanément Saint-Pierre, n'avait-elle pas l'espérance de revenir bientôt à l'usine d'Eyrans, libre cette fois d'exercer la charité avec l'appui de celui qui serait alors son mari ? Elle s'attarda un peu dans la chaumière, car Julienne avait peine à la laisser partir. Mais la nuit tombait, elle ne pouvait demeurer plus longtemps. Ayant embrassé la jeune fille en promettant de revenir le lendemain, elle sortit du pauvre logis.

Elle marchait vite, car ce bout de route était désert et bordé d'inquiétants fourrés. Cependant, elle n'avait pas de grande crainte. Le pays était sûr, on n'entendait jamais parler d'agression. D'ailleurs, le passage le plus ennuyeux allait être franchi ; à ce tournant, elle apercevrait les premières maisons de Saint-Pierre.

Quelque chose remua à droite, un corps souple bondit du buisson, elle se sentit enserrée entre des bras nerveux, terrassée avant d'avoir pu jeter un cri, bâillonnée, ligotée. Puis l'agresseur se mit en marche, moitié portant, moitié traînant sa victime évanouie.

III

La femme masquée

Lentement, la pensée revenait à Noella. Dans son cerveau, engourdi peut-être passagèrement par quelque narcotique, les idées apparaissaient, vagues d'abord, puis de plus en plus lucides.

Autour d'elle, l'obscurité était complète. D'un geste machinal, elle étendit la main et constata qu'elle était étendue sur des dalles de pierre. Bras et jambes étaient déliés, et le bâillon avait disparu.

Elle essaya de se lever et y réussit avec peine, car elle se sentait faible et étourdie. Elle marcha avec précaution, les mains étendues... et, au bout de quelques pas, se heurta à une muraille faite de larges pierres lisses.

— Mais où donc suis-je, ici ?

Ce cri s'échappa, involontaire et angoissé, de ses lèvres desséchées. Mais personne n'y répondit.

Brisée d'émotion, elle se laissa glisser sur le sol. Malgré l'épais manteau dont elle s'était couverte pour sortir, elle grelottait, car l'air très froid arrivait sur elle par quelque ouverture, invisible dans l'obscurité.

Les pensées s'entre-choquaient dans son cerveau. Rien ne pouvait expliquer cette agression, cet enlèvement, rien, sinon la même haine mystérieuse qui poursuivait Stanislas et voulait l'atteindre dans celle qu'il aimait.

Mais qui étaient ces terribles adversaires ? Et que prétendaient-ils faire d'elle ?

Les heures passaient, affreusement lentes. Noella se glaçait sur ces dalles froides, la fièvre martelait son cerveau où passaient en visions déchirantes les chères silhouettes de sa mère, de Stanislas, de Pierre, des enfants.

— Les reverrai-je jamais ? pensait-elle avec terreur.

Et la prière jaillissait de son cœur torturé, mettant un rayon d'espoir dans cet épouvantable cauchemar.

Enfin, cette interminable nuit d'hiver prenait fin. Une aube lugubre paraissait, éclairant progressivement le lieu où se trouvait Noella. Elle se vit dans une grande salle à voûte basse. Dans la muraille de granit sombre, d'énormes anneaux de fer rouillé étaient scellés de place en place. Très haut étaient percées deux fenêtres étroites, garnies de larges barreaux.

— Une prison ! Mais c'est une prison, murmura Noella.

Rien, ici, ne pouvait lui être un indice. Mais enfin, quelqu'un finirait bien par venir, et elle saurait peut-être alors.

Une heure s'écoula encore. Et tout à coup,

le cœur de Noella se mit à battre à coup redou-
blés. Une clé entrait dans l'énorme serrure, la
porte épaisse s'ouvrait lentement.

Ce n'était pas un geôlier, mais une femme
de petite taille, enveloppée d'un manteau brun
et portant un masque sur son visage. Elle s'arrêta à quelques pas de la jeune fille qui s'était
levée.

— Nous avons à causer, mademoiselle des
Landies.

Sa voix était douce et calme, empreinte d'un
accent étranger.

— Certes, oui ! s'écria Noella, retrouvant l'habituelle énergie qui se cachait sous son apparence délicate. Vous avez à m'expliquer ce que
signifie cette agression, à me dire où je suis,
qui vous êtes. Mais non, ce sont là prétentions
inutiles de ma part ! Qui cache son visage ne
peut me dire la vérité ! ajouta-t-elle avec un
dédain qu'elle ne put maîtriser.

— Je ne suis pas ici pour vous expliquer quoi
que ce soit, mademoiselle. Je n'ai même rien
à vous demander de particulièrement difficile
à réaliser. Il me suffira simplement que vous
écriviez un petit billet, copie de celui-ci.

Elle tendait à la jeune fille un papier couvert
d'une écriture tourmentée. Noella lut :

« Je sais maintenant qui vous êtes, mon cher
Stanislas, et j'ai trouvé un moyen sûr de vous
faire rentrer le plus tôt possible dans tous vos

droits. C'est pour le réaliser que j'ai disparu
ainsi mystérieusement. Vous comprendrez plus
tard pourquoi. Trouvez-vous ce soir à minuit à
la Font-Rouge ; vous aurez là toute l'explication de ma conduite. Surtout pas un mot de ceci
à âme qui vive, sauf à l'ami éprouvé qui vit en
ce moment près de vous et auquel je demande
de vous accompagner. Il y va de votre existence,
si précieuse pour tous et surtout pour

» Votre fiancée,

» Noella des LANDIES. »

Noella leva un regard stupéfié vers l'inconnue,
impassible devant elle.

— Que signifie tout ceci ? Et qui est donc
réellement M. Dugand ?

— Pour le moment, il vous est inutile de le
savoir. Lui-même vous l'expliquera plus tard.
On vous demande simplement d'écrire ceci.

— D'écrire un mensonge ? Car enfin, ce que
vous me demandez n'est pas autre chose, et,
nécessairement, cette lettre est destinée à attirer
M. Dugand dans un guet-apens !

— Vous n'avez pas à rechercher les raisons
ni le but de ceux qui vous tiennent en leur
pouvoir. Obéissez sans discuter.

— Jamais je n'écrirai un mot de cette lettre !
J'aimerais mieux mourir ! dit Noella d'un ton
ferme, en jetant le papier à terre.

L'inconnue eut un ricanement.

— Oui, mourir tout de suite, peut-être ; mais périr lentement, par la faim, par la soif, par le froid ? Voilà pourtant le sort qui vous attend si vous n'écrivez pas cette lettre. Je reviendrai ce soir savoir si vous avez changé d'avis.

Elle s'éloigna, et la porte retomba derrière elle avec un bruit sinistre.

Frissonnante d'horreur, Noella se jeta à genoux.

— Mon Dieu, mon Dieu, sauvez-moi !

....

Ce matin-là, Stanislas revenait de Ribérac où l'avait appelé une affaire pressante. Il avait mis son automobile à grande allure, car il s'était un peu attardé involontairement et savait que Martin Régent ne vivait plus lorsqu'il était absent, depuis l'attentat dont il avait failli être victime.

— Hâtons-nous de réunir les dernières preuves, les plus nécessaires, et de faire arrêter ces coquines, car sans cela vous êtes perdu, monsieur le duc ! avait-il dit la veille au jeune homme.

Il avait dû aller ce matin encore tenter un effort près de Bertine. Jusque-là, il s'était heurté chez elle à une force d'inertie désespérante. Cette femme avait peur !

Comme l'ingénieur arrivait en vue de l'usine, il aperçut sur la route Martin Régent debout, qui leva les bras au ciel à sa vue.

— Qu'y a-t-il ? interrogea anxieusement le jeune homme lorsqu'il fut à portée de voix, tout en arrêtant sa voiture.

Rien qu'à la vue du visage troublé du vieillard, il avait compris que quelque chose de grave se passait.

— M. de Ravines est venu tout à l'heure. Il paraît que Mlle des Landies est sortie hier pour aller chez la femme Vaillant, et que depuis lors personne ne l'a revue !

— Noella !

En jetant cette exclamation d'une voix étranglée, Stanislas se dressait debout dans la voiture.

— M. de Ravines s'est informé partout, il fait faire des recherches dans les bois, dans les carrières. La gendarmerie est prévenue.

— Mais croit-on à un crime ?

— Cela semble probable. Cependant on n'a encore trouvé aucun indice.

Stanislas, qui était devenu d'une pâleur mortelle, s'assit de nouveau en disant d'une voix toute changée :

— Montez avec moi, oncle Adrien, nous allons à Saint-Pierre.

Pendant le court trajet, ils n'échangèrent pas un mot. Une même pensée semblait flotter dans les prunelles claires du vieillard, dans les yeux bruns du jeune homme. A l'entrée du village, des groupes étaient formés et discutaient avec animation. L'un d'eux se composait du curé, de M. de Ravines, de son beau-fils et de quelques notables de l'endroit.

— Rien de nouveau ? demanda Stanislas en arrêtant l'automobile et en sautant à terre.

— Absolument rien ! Quelle catastrophe ! Le pays est toujours si tranquille, cependant ! s'écria M. de Ravines.

— Moi, je l'ai rencontrée hier se rendant près de notre petite mourante, dit le curé. Affectueuse et charitable comme elle l'est, elle se sera attardée près de Julienne Vaillant, ainsi que le prouvent, du reste, les quelques paroles que nous avons pu tirer de la malheureuse femme, affolée par la mort de sa fille.

Le juge de paix ajouta à son tour :

— Je viens de me rendre sur les lieux, et j'ai constaté, à un certain endroit de la route, des branches cassées à un buisson et des traces de pas sur le sol. Ce sont même des traces de pieds forts petits, pieds de femme ou d'enfant, à mon avis, et très distincts de ceux de Mlle des Landies, dont les marques sont encore empreintes sur le sol à partir de la demeure de la femme Vaillant.

— Mais enfin, nous avons donc dans le pays une troupe de malfaiteurs invisibles ! s'écria M. de Ravines. Il y a quelques jours, c'était vous, Dugand ; aujourd'hui voilà Mlle des Landies. Ne vous semble-t-il pas, messieurs, qu'il y a corrélation entre les deux faits ?

— Mais cela me paraît évident, opina le notaire, gros homme rougeaud et prétentieux qui arborait sur un gilet broché une large chaîne d'or. Cette bande veut terroriser le pays, pour le piller ensuite tout à l'aise à la faveur de cet effroi.

Stanislas se tourna vers Martin Régent qui était demeuré un peu à l'écart.

— Nous allons voir ces traces de pas, dit-il brièvement.

— Je vous accompagne, si vous le voulez bien.

C'était Maurice qui prononçait ces mots. Stanislas fit un signe d'acquiescement, et les trois hommes s'engagèrent sur la route.

Ils marchèrent quelques instants en silence. Autour d'eux, quelques flocons de neige flotaient, fondus avant de toucher le sol.

Maurice dit tout à coup d'une voix légèrement tremblante :

— Vous êtes son fiancé, monsieur Dugand ?

— Oui, monsieur. Mais qui vous a dit ?...

— Ma mère en était presque certaine et moi aussi, du reste.

Il s'arrêta un instant, avec un soupir étouffé. Puis sa main se tendit vers Stanislas...

— Je vous ai sans doute paru bien étrange, ces temps derniers. C'est que j'étais jaloux, tout bêtement. Mais, après tout, vous êtes le plus digne d'elle, car vous êtes un homme utile, tandis que je n'ai rien fait jusqu'ici, je n'ai songé qu'à me créer une vie douce.

Stanislas, ému, serra fortement la main de Maurice.

— Vous êtes en tout cas, monsieur d'Aubars, un homme de cœur et une âme loyale. Mlle des Landies a dû s'en apercevoir comme moi. Mais, voyez-vous, nous nous aimons depuis longtemps, depuis le premier jour où nous nous sommes vus, je crois.

— Qui ne serait pris au charme d'une âme si exquise ! murmura Maurice. Mais ne craignez rien, monsieur Dugand, jamais votre fiancée ne soupçonnera que je l'ai aimée.

— Je le sais, monsieur, car je vous reconnais comme un homme d'honneur. Et je serais heureux de conserver votre amitié !

— Vous l'avez, monsieur Dugand.

Ils arrivaient en ce moment près des traces de pas signalées par le juge de paix. Déjà, Martin Régent s'était penché au-dessus.

— Des pieds de femme. Oui, oui, c'est bien cela ! murmura-t-il.

— En concluez-vous que Mlle des Landies a été enlevée par une femme ? s'écria Maurice.

— Je ne conclus rien pour l'instant, monsieur, mais enfin des raisons particulières me font pencher vers cette hypothèse. Mince et délicate comme l'est mademoiselle Noella, une créature d'une certaine force nerveuse, tombant sur elle à l'improviste, en aura eu facilement raison.

— Et vous avez des soupçons, monsieur ?

— De très forts soupçons, pour ne pas dire
des certitudes.

Tandis que Maurice s'approchait du buisson
pour voir les branches brisées, Stanislas se pencha vers Martin Régent.

— Vous pensez donc que ce sont elles ? demanda-t-il avec angoisse.

— J'en suis sûr, monsieur le duc. Voyant
que vous vous gardez trop bien, elles ont tenté
de vous prendre par là. Que vont-elles imaginer
pour vous attirer dans quelque piège, je ne le
sais, mais évidemment elles vont se servir de
votre fiancée. Il s'agit donc de retrouver Mlle
Noella, et pour cela nous ne pouvons rien tenter
avant la nuit, car il nous faut pénétrer dans le
château et le fouiller dans tous ses recoins pour
découvrir où elle est enfermée — expédition
périlleuse, les coquines pouvant se méfier et
nous tendre quelque guet-apens. Aussi irai-je
seul.

Stanislas l'imterrompit d'un geste impérieux.

— Cela non ! Pensez-vous donc que je resterai inactif et en sûreté, pendant que vous
risquerez votre vie pour sauver ma fiancée ?
D'ailleurs, je veux la délivrer moi-même, ma
Noella, victime à cause de moi. Pourvu qu'il
soit temps seulement !

— Ne craignez rien, monsieur le duc, elles
n'ont pas intérêt à la supprimer ainsi purement
et simplement, sans chercher à s'en servir tout
d'abord contre vous. Mais permettez-moi de

vous soumettre une idée : ne croyez-vous pas
qu'il serait bon de confier notre secret à un
tiers, afin qu'en cas d'accident les misérables
n'échappent pas au moins au châtiment ?

— Vous avez raison, et ce tiers est tout
trouvé, dit Stanislas en désignant Maurice qui
se rapprochait. J'ai pu constater plusieurs fois
son extrême discrétion.

Il s'avança vers le jeune d'Aubars et posa
la main sur son bras.

— Pouvez-vous, monsieur, nous suivre jusqu'à Eyrans, où j'aurais une communication
importante à vous faire ?

Maurice le regarda avec quelque étonnement.

— Très volontiers. Mais je pensais que vous
alliez chercher vous-même ?

— Vous comprendrez tout à l'heure l'inu-
tilité de ces recherches pour le moment ! Allons
retrouver l'automobile que j'ai laissée à l'entrée
de Saint-Pierre.

Un quart d'heure plus tard, les deux jeunes
gens et l'ex-intendant s'asseyaient dans le bureau de Stanislas. Celui-ci, alors, fit à Maurice
passablement ahuri le récit de tout ce qui s'était
passé au château de Sailles.

— Ainsi, vous êtes Ghislain de Vaulan ? Ce
Ghislain avec qui j'ai joué autrefois ? Rien
d'étonnant à ce que j'aie trouvé une ressemblance avec les portraits de certains des Mornelles ! Mais ces femmes ! C'est inouï, épouvantable ! Mais pourquoi tant tarder à les accuser ?

— Il nous manque le témoignage le plus précieux, celui de l'ancienne femme de chambre de ma pauvre mère. Les autres viendront le corroborer seulement.

— Et l'enlèvement de Mlle des Landies sera une autre preuve écrasante des crimes de ces femmes, ajouta Martin Régent. Cette nuit, nous jouerons la grande partie.

— Et si nous la perdons, monsieur d'Aubars, vous, qui connaissez notre secret, devrez le révéler alors et déclarer devant tous que nous avons péri victimes de cette criminelle honorée dans le pays comme une honnête femme.

— Mais si vous préveniez la justice ? elle rechercherait Mlle des Landies dans tout le château.

— Avec bien des chances de ne pas la découvrir, car il existe des cachettes introuvables. Dès lors, on n'hésiterait pas à la faire disparaître à jamais. Non, voyez-vous, il faut lutter de ruse avec ces serpents, et pouvoir, au jour de l'accusation, leur lancer au visage des preuves irréfutables. Avec la grâce de Dieu, nous y parviendrons ! ajouta Stanislas avec énergie.

Maurice se leva et serra fortement la main du jeune homme.

— Comptez sur moi, Ghislain de Vaulan, je saurai vous venger s'il vous arrive malheur. Et si vous vouliez m'accepter dans votre expédition ?

— Merci, mon ami, dit Stanislas avec émotion. Mais à nous deux, c'est assez, il est inutile d'exposer une autre vie. Et vous nous servirez grandement malgré tout, mon cher Maurice.

IV

A travers le Château Noir

Cette fois, la neige tombait sérieusement, en flocons épais et serrés. Le sol était déjà tout blanc, comme aussi les deux hommes qui s'avançaient, lentement et en silence, le long d'un sentier défoncé, bordé d'énormes blocs de pierre.

La nuit était absolument noire, et il fallait que ces deux hommes eussent une parfaite connaissance des lieux pour marcher ainsi sans hésitation dans ces profondes ténèbres.

— Nous arrivons ! murmura tout à coup celui qui avançait le premier.

En même temps, il sortait une lanterne sourde, dissimulée jusque-là sous son manteau.

Les promeneurs nocturnes se trouvaient devant une haute muraille de roche, dans les anfractuosités de laquelle certains petits arbustes, en ce moment dépouillés par l'hiver, avaient trouvé moyen de prendre racine.

— Nous sommes là tout contre la carrière des Sept-Percées, où vous avez jadis failli trouver la mort, monsieur le duc, dit celui qui avait déjà parlé.

— Mais ce souterrain ? Je ne vois rien qui ressemble à une entrée quelconque, ici.

Martin Régent abaissa la lanterne jusqu'à terre, en invitant d'un geste le jeune homme à se courber. Et Stanislas — ou plus exactement Ghislain, pour lui restituer son véritable nom — vit dans le roc, à demi voilée par des traînes de feuillage persistant, une ouverture où devait passer tout juste le corps d'un homme sans corpulence.

— L'entrée est peu confortable, il faudra nous aplatir et ramper là-dessous. Je vais passer le premier pour vous montrer le chemin, monsieur le duc. En arrivant au bout de cet ennuyeux petit passage, je sifflerai, et vous vous y engagerez à votre tour.

Ainsi fut fait. Martin Régent et son jeune maître se trouvèrent au bout de cinq minutes réunis dans le souterrain, formé d'un étroit couloir taillé dans le roc.

Le vieillard, tenant la lanterne et précédant Ghislain, s'avança d'un pas sûr, malgré le sol rocailleux. Le souterrain s'élargissait un peu, mais montait en même temps sensiblement. Et, tout à coup, les deux hommes se trouvèrent au pied d'un escalier étroit, qui s'enfonçait là-haut dans l'obscurité.

— Combien de fois l'ai-je monté et descendu ! murmura Martin. J'avais fini par vivre ici, afin de pouvoir plus souvent exercer ma surveillance.

— Mon fidèle serviteur ! dit Ghislain en serrant à la briser la main du vieillard.

Ils commencèrent à gravir l'escalier. Celui-ci semblait interminable. Enfin, ils atteignirent une sorte d'étroit palier fait de roc brut. Là se voyait une porte de fer dont Martin fit jouer le ressort caché.

Ghislain vit un étroit couloir, dont les parois étaient faites de pierres énormes grossièrement scellées entre elles. Martin le conduisit devant une porte en enfoncement et dit d'une voix assourdie et frémissante :

— Par ici, monsieur le duc, j'ai pu prévenir votre mère ; par ici, je suis entré pour vous enlever à la mort. Cette porte, grâce à un ressort secret, ouvre dans la chambre d'honneur, la chambre des ducs, qu'occupait alors la comtesse de Vaulan.

— Et où dort maintenant ce Pieter, le fils de cette voleuse ! dit Ghislain entre ses dents serrées.

— Elle a osé ! Mais patience, tout va rentrer dans l'ordre, mon cher maître. Allons, ne perdons pas de temps. Tenez, cette seconde porte, plus loin, donne sur le grand corridor des offices. Par là, j'ai surpris encore bien des choses. Et cette troisième va nous servir ce soir. Les anciens ducs de Sailles avaient tout prévu pour les longs sièges, durant lesquels ils se trouvaient ravitaillés par ce souterrain. Et, en cas d'invasion du château, la fuite se trouvait facile.

Tout en parlant, Martin faisait jouer le ressort.

— J'ai eu du mal pour arriver à faire fonctionner tout cela. Vous pensez si ces systèmes étaient rouillés, depuis le temps ! Mais le serrurier qui a fabriqué cela était un maître homme, car ces ressorts sont des merveilles. Nous nous trouvons ici dans la chapelle, monsieur le duc.

La porte s'était ouverte, Ghislain entra. Le sanctuaire, dans cette ombre épaisse que trouait à peine la clarté voilée de la lanterne, était absolument lugubre, et le jeune homme eut un léger frisson.

— Commençons vite nos recherches, oncle Adrien. Par où ?

— Puisque nous sommes de ce côté, voyons en passant les cachots souterrains. Mais j'espère que les misérables n'ont pas mis là cette pauvre demoiselle !

Ghislain suivit le vieillard le long d'un couloir, puis dans un escalier de pierre ; il pénétra avec lui dans d'étroites geôles, où régnait un air méphitique. Mais Noella n'était pas là.

— Nous la trouverons dans une des tours beaucoup plus probablement, dit Martin Régent en remontant avec son maître.

Ils s'engagèrent de nouveau dans des corridors qui semblaient s'allonger et s'entrecroiser à l'infini. Martin circulait ici en homme entièrement sûr de lui-même. Ils atteignirent ainsi

la base de la plus grosse tour et s'engagèrent
dans l'escalier de pierre effritée.

— La pièce du premier étage sert de salle
d'archives, chuchota Martin. Elles ne l'auront
pas mise là. Par acquit de conscience, si nous
ne la trouvons pas en haut, nous verrons ici
en redescendant.

Ils atteignirent le second étage. Martin approcha la lanterne de la serrure.

— Pas de clé. Quelque chose de précieux est
donc renfermé là.

— Vite, vite ! dit Ghislain tout frémissant.

En homme prudent, Martin s'était muni des
outils nécessaires à l'ouverture d'une porte, se
doutant bien que les geôlières de Noella ne lais-
seraient pas la clé sur la serrure. Ghislain, très
adroit, et dont la force habituelle se trouvait en
ce moment doublée par le désir ardent de savoir s'il allait retrouver là sa fiancée, eut vite
raison de cette serrure, pourtant énorme. Il
repoussa la porte, se précipita dans la pièce
obscure.

— Noella, êtes-vous là ? demanda-t-il d'une
voix assourdie.

— Stanislas...

Oh ! cette voix faible, mais tremblante de
bonheur.

Martin entrait, il découvrait sa lanterne. Et
Ghislain vit la jeune fille à demi soulevée sur
les dalles, les membres grelottants, les yeux
profondément enfoncés, les mains tendues vers

lui. Il s'élança, s'agenouilla près d'elle, il prit ces petites mains raidies et glacées et les porta à ses lèvres.

— Ma pauvre petite Noella ! Mais vous mourez de froid ! Vite, emportons-la d'ici !

Joignant le geste à la parole, il enlevait dans ses bras vigoureux la jeune fille paralysée par le froid, la faim et les angoisses de ces trente heures de réclusion. De nouveau, les deux hommes reprirent le chemin parcouru. Ils glissaient sans bruit sur le sol dallé, leurs pieds étant munis de chaussons.

Martin, qui marchait le premier, s'arrêta tout à coup et se pencha à l'oreille de son maître.

— J'ai entendu un frôlement derrière nous.

Et, avant que Ghislain eût pu réfléchir, le vieillard s'élançait en arrière. Il y eut une exclamation de rage, le bruit d'une courte lutte.

Ghislain se trouvait dans l'obscurité complète, il n'osait reculer, craignant pour Noella.

— Laissez-moi, Stanislas, allez à son secours ! supplia la jeune fille.

Il la mit à terre, fit quelques pas en arrière. La voix de Martin, un peu assourdie, s'éleva tout à coup.

— C'est vous, monsieur le duc ? Voulez-vous retourner un peu en arrière, pour ramasser ma lanterne que j'ai dû jeter à terre afin de sauter sur cette coquine ?

— Qu'est-il arrivé, oncle Adrien ?

— Il est arrivé que je la tiens, la vipère !

Quand vous aurez rallumé la lanterne, vous
pourrez la voir tout à votre aise, monsieur
le duc !

A tâtons, Ghislain s'en alla le long du couloir.
Son pied heurta la lanterne, et, ayant fait
partir une allumette, il constata avec satisfaction
que les verres très épais n'avaient pas été brisés
dans la chute. Muni de lumière, il revint sur
ses pas. Près de Noella assise à terre, Martin
était debout, ses deux mains soutenant par le
bras la Javanaise qui s'affaissait, inerte.

— Mais qu'a-t-elle donc ? s'écria le jeune
homme.

— Elle a, monsieur le duc, que j'ai dû lui
cogner un peu fort sur la tête pour en venir à
bout, et qu'elle en est restée tout étourdie ; fameuse affaire pour nous, car autrement elle se
démènerait comme un beau diable !

— Mais que signifie tout cela ? Stanislas,
dites-moi si je ne rêve pas ! murmura la voix
affaiblie de Noella.

— Non, ma Noella, ceci est bien la réalité.
Tout à l'heure, je vous donnerai l'explication
de ces mystères. Pour le moment, partons vite
d'ici. Il me semble que dans ces noirs corridors
le danger plane toujours autour de nous.

Et ils se hâtèrent vers la porte secrète de la
chapelle, Ghislain portant sa fiancée, Martin
traînant la Javanaise. Au bas de l'escalier seulement, ils s'arrêtèrent, épuisés. Martin laissa
tomber à terre Akelma toujours inanimée, et

Ghislain aida Noella à s'asseoir sur un quartier de roc.

— Qu'allez-vous faire de cette coquine, oncle Adrien ? demanda le jeune homme.

— La ficeler soigneusement, monsieur le duc ! Voyez, j'ai pris mes précautions.

Et, de la poche de son manteau, il sortait de minces et solides cordelettes.

— Nous la laisserons là, et demain la justice la retrouvera à la même place.

— Mais qui est cette femme ? Et où suis-je ? s'écria la voix angoissée de Noella.

— Vous êtes au château de Sailles, Noella... chez moi.

— Chez vous ? Stanislas, que veut dire ?

— Ceci veut dire que je suis Ghislain de Vaulan. Vous savez, ce petit Ghislain que connut votre mère et qui disparut si mystérieusement de ce château ? Et cette femme, âme damnée de la baronne Van Hottem, est la même qui empoisonna ma pauvre mère, la même, selon toutes probabilités, qui vous enleva hier pour vous emprisonner ici, afin d'avoir plus facilement raison de moi.

Noella pressa sa tête entre ses mains.

— C'est inouï ce que vous racontez là ! Mais je ne comprends pas comment vous avez su ?

Ghislain jeta un regard vers Martin Régent occupé à préparer ses cordes, sans quitter de l'œil la Javanaise évanouie.

— Je vous aiderai lorsque vous y serez, oncle
Adrien, dit-il.

— Oh ! inutile, monsieur le duc, j'aurai vite
fait tout seul ! Renseignez plutôt Mlle Noella,
qui ne comprend rien à tout ce mystère.

Alors Ghislain commença le récit des étranges aventures qui s'étaient succédé dans cette
demeure. Noella l'écoutait, les mains jointes, ses
grands yeux remplis tour à tour d'émotion
douce, d'effroi et d'horreur.

— Oh ! c'est épouvantable ! Mais vous pouvez maintenant les faire arrêter, Stanislas ?

— Certes ! En s'attaquant ainsi à vous, elles
m'ont donné une arme terrible. Cependant, si
Bertine, l'ancienne femme de chambre de ma
mère, voulait enfin parler, je trouverais peut-
être là un nouveau témoignage irréfutable, si,
comme l'oncle Adrien et moi en sommes à peu
près certains, elle a été complice des misérables
— par son silence tout au moins.

— Où est cette Bertine ?

— Mais c'est la mère de Julienne !

— Mme Vaillant ! Ceci m'explique certaines
paroles dites par elle, et qui semblaient révéler
un passé coupable. Peut-être parviendrons-nous
à savoir quelque chose. Je m'y emploierai près
d'elle de tout mon pouvoir, Stanislas.

— Et j'ai confiance que votre exquise charité
aura raison des résistances de cette malheureuse.
Vous avez fini, oncle Adrien ? Nous allons partir immédiatement, car il fait effroyablement

humide ici, et vous êtes toujours glacée, ma
pauvre Noella. Ces misérables voulaient donc
vous faire mourir de froid ?

— De froid et de faim, oui. Je n'ai rien
mangé depuis hier.

Une exclamation furieuse s'échappa à la fois
des lèvres de Ghislain et du vieillard.

— Les monstres ! Mais que voulaient-elles de
vous, Noella ?

— Vous faire attirer, par un mot écrit de ma
main, dans quelque guet-apens. J'ai refusé. La
femme qui m'avait intimé cet ordre — peut-
être la même que celle-ci, je ne sais, car elle
était masquée, — est revenue deux fois à la
charge, en me déclarant toujours que je ne re-
cevrais aucune nourriture avant d'avoir écrit.
Lorsque vous êtes entré dans ma prison, j'avais
fait le sacrifice de ma vie, car je sentais que je
ne pourrais supporter encore une nuit et une
journée semblables.

— Et c'était pour moi que vous enduriez ce
martyre, ma fiancée bien-aimée ! Pourrai-je jamais vous témoigner assez de reconnaissance et
d'amour en retour d'une résolution si héroïque !
Mais partons vite ! Nous allons vous reconduire
à Rocherouge.

— A Rocherouge ! Les réveiller en pleine
nuit ! Et toutes ces explications à donner ! Stanislas, ne trouvez-vous pas plus simple que je
reste jusqu'au matin chez Bertine ?

— Dans ce taudis ! Et la pauvre Julienne est morte ce matin.

— Justement, je crains que la malheureuse mère ne cherche à attenter à sa vie dans un accès de désespoir. Je veux essayer de la raisonner, de faire pénétrer dans sa pauvre âme, en face du lit de mort de cette angélique Julienne, quelque bienfaisante lueur de foi — pour elle d'abord, âme tristement égarée, hélas ! pour vous ensuite, Stanislas, afin d'obtenir de son remords d'utiles révélations.

— Mais tout vous manquera dans ce lamentable logis ! C'est impossible, Noella.

— Si, si, je vous assure ! je trouverai bien quelque chose à manger.

— Laissez Mlle Noella agir comme il lui plaira, monsieur le duc, interrompit Martin. Et quant à la question de nourriture, ne vous en inquiétez pas, j'y pourvoierai. En route, main-maintenant, si vous le voulez bien.

Ghislain reprit son cher fardeau, léger pour ses bras vigoureux, et, précédé du vieillard portant la lanterne, s'engagea dans le long couloir souterrain.

V

Vers le châtiment

Ce fut sous une tourmente de neige que les
deux hommes, après avoir passé, ainsi que
Noella, l'étroite entrée du souterrain, s'engagèrent dans l'étroit sentier délaissé depuis l'aban-
don des carrières. Ghislain marchait aussi rapidement que le lui permettait le sol glissant et
crevassé, sans vouloir entendre les instances de
Martin Régent qui demandait à porter à son
tour la prisonnière délivrée.

Enfin, la masure de Bertine Vaillant apparut.
Une mince clarté filtrait derrière les vitres de
la chambre de Julienne.

Ghislain pressa le pas, il s'arrêta devant la
porte vermoulue et frappa un coup. Rien ne
bougea à l'intérieur.

Il frappa une seconde, une troisième fois.
Même silence.

— Pourvu qu'il ne soit pas trop tard ! murmura Noella.

Martin s'avança, il posa la main sur le loquet
et poussa la porte sans difficulté. Il fit quelques

pas au delà du seuil, en projetant autour de lui
la lueur de sa lanterne.

La première petite pièce était déserte. Par
la porte entr'ouverte en face des arrivants passait un peu de lumière.

Noella, maintenant debout, s'avança lentement vers cette porte en s'appuyant au bras de
Ghislain, elle la poussa doucement.

Sur le pauvre lit était étendue Julienne, les
mains jointes sur son crucifix. La tremblante
lueur d'un petit cierge éclairait son fin visage
blanc et paisible, endormi seulement, aurait-on
dit... Affaissée sur le lit mortuaire, les cheveux
épars et la tête cachée entre ses mains, se tenait
Bertine Vaillant, aussi immobile que la jeune
morte elle-même. A l'entrée des arrivants, elle
leva un instant ses yeux affreusement creusés,
les enveloppa d'un regard inconscient et remit
son front entre ses mains.

Noella et Ghislain s'avancèrent jusqu'au lit.
La jeune fille se pencha et posa ses lèvres sur
le front de Julienne. Puis, courbant la tête avec
recueillement, elle murmura une courte prière.

— Venez, maintenant, ma Noella, dit doucement Ghislain, venez vous reposer et vous
réchauffer ; nous parlerons après à cette malheureuse. Tenez, notre fidèle ami a disparu. Cet
être admirablement dévoué est parti, je gage,
à la recherche de quelque nourriture pour vous.

Il conduisit Noella dans la pièce voisine et
chercha un peu de bois, mais n'en put découvrir

un morceau dans cette demeure dénuée de tout.
Alors, sans hésiter, il s'empara d'un vieux cof-
fre et se mit à le démolir, sans grande difficulté,
car les planches ne tenaient plus que par quelques clous rouillés. Bientôt une flamme superbe s'élevait dans le primitif foyer, près duquel Ghislain avait installé le plus confortable-
ment possible sa fiancée.

Devant elle, il s'était assis, fort las, lui aussi,
malgré sa vigueur physique. Tous deux demeu-
raient silencieux. Noella, brisée de corps et d'esprit, s'engourdissait dans la tiédeur qui l'enveloppait maintenant ; Ghislain songeait à l'avenir,
à ce lendemain qui amènerait sans doute l'arrestation de ces misérables criminelles à qui il
venait d'enlever sa fiancée.

— Comme l'oncle Adrien tarde ! murmura-t-
il tout à coup. Pourvu qu'il ne lui soit pas
arrivé malheur !

Noella, en entendant ces mots, sortit de sa
demi-torpeur.

— A cause de moi ! Oh ! Stanislas, vous auriez dû le retenir !

— Il me semble que j'entends des pas ! dit
le jeune homme en se levant et en se dirigeant
vers la porte.

C'était bien Martin, en effet. Il entra en
secouant son manteau blanc de neige et posa
à terre un assez large panier.

— Mais d'où venez-vous, mon bon oncle ?
s'écria Ghislain.

— De chez vous, monsieur le duc, répondit
le vieillard tout en enlevant son manteau.

— D'Eyrans ! Par ce temps ! C'était une folie,
mon pauvre ami !

— C'était fort simple, au contraire. Eyrans
n'est pas loin d'ici, j'y ai été rendu bien vite en
courant un peu — car j'ai encore de fameuses
jambes, croyez-le, mon cher maître. Là-bas,
j'ai trouvé aussitôt tout ce qu'il me fallait. La
vieille Adolphine avait précisément fait du
bouillon hier. C'est ce qui conviendra mieux
pour le moment à mademoiselle.

Il prit dans le panier un réchaud, un petit
pot plein de bouillon, et bientôt il se trouvait en
mesure d'offrir à la jeune fille un breuvage
chaud, à l'arome appétissant.

— Quel dévouement ! Combien je vous remercie, monsieur Dugand ! dit Noella tout émue
en posant sa petite main sur celle du vieillard.
Mais vous aussi avez besoin de vous réconforter,
après de telles fatigues... et vous de même,
Stanislas — Ghislain, veux-je dire. Vous avez
dû avoir froid, sans ce manteau dont vous
avez absolument tenu à m'envelopper !

— J'ai apporté du bouillon pour monsieur
le duc, dit Martin en sortant un second petit pot.

— Et vous vous êtes oublié, naturellement ?
Eh bien, pour votre punition, c'est vous qui
allez boire cela ! dit Ghislain d'un ton péremp-
toire.

— Monsieur le duc ! oh ! jamais, jamais. Vous

ne me ferez pas ce chagrin ? balbutia le vieillard désolé.

— Un chagrin, à vous ? Non, fidèle ami.
Cependant, je ne veux pas céder. Tenez, nous
partagerons. Oh ! cela, je l'exige absolument.

Cette fois, Martin dut s'incliner. Et bientôt,
un peu réconfortés et réchauffés, les deux hommes et la jeune fille échangeaient encore quelques explications sur les faits dramatiques qui
venaient de se dérouler. Dans la pièce voisine,
rien ne bougeait. La malheureuse mère demeurait plongée dans sa douleur farouche.

— Je vais essayer de lui parler, dit Noella en
se levant.

Elle chancela un peu, car elle demeurait encore faible et légèrement étourdie. Mais le bras
de Ghislain était là, prêt à la soutenir. Elle s'y
appuya et entra dans la chambre mortuaire.

Bertine ne bougea pas. La jeune fille s'agenouilla près du lit et s'absorba quelques minutes
dans une ardente prière. Près d'elle, Ghislain se
tenait debout et incliné. Sur sa belle physionomie expressive se lisait une émotion profonde.

Noella se leva, elle regarda longuement Julienne en murmurant :

— Aidez-nous, chère petite sainte.

Puis elle s'approcha de Bertine et posa doucement sa main sur son épaule.

La pauvre créature eut un sursaut et leva
vers Noella des yeux égarés. Alors la jeune fille,
avec ce charme dont elle avait le secret, avec

cette foi ardente et cette charité qui remplis-
saient son âme, se mit à lui parler de Dieu, du
ciel où se trouvait certainement Julienne, de la
miséricorde divine qui l'attendait elle-même, si
elle voulait, pour la réunir à sa fille chérie.

Des larmes montaient aux yeux de Ghislain.
Les paroles de sa fiancée ravivaient de très
lointains souvenirs, d'autres paroles presque
semblables, dites par la voix douce de sa mère.
Les enseignements chrétiens de ses premières
années se précisaient depuis quelque temps, sortant de l'ombre épaisse qui avait voilé sa mémoire à dater du jour où Martin Régent l'avait
enlevé du château de Sailles. Et une émotion
intense l'étreignait devant le touchant tableau
de la jeune fille affectueusement penchée vers
cette triste créature, cherchant à faire naître en
elle la résignation et le repentir.

Mais Bertine ne paraissait pas entendre. Les
traits crispés, elle laissait son regard sombre
errer devant elle.

Tout à coup, elle étendit la main et repoussa
Noella.

— La revoir, Julienne ? Vous savez bien que
c'est impossible ! Elle était un ange, et moi...
moi, je suis une misérable. Nous sommes sépa-
rées pour toujours ! fit-elle d'une voix rauque
en se tordant les mains.

— Ne parlez pas ainsi ! Le repentir peut tout
obtenir. Et je veux croire, Bertine, que vous
vous repentez sincèrement du passé.

La femme eut un brusque mouvement en arrière.

— Bertine ? Comment savez-vous que je m'appelle ainsi ?

— N'êtes-vous pas l'ancienne femme de chambre de la comtesse de Vaulan ?

Bertine eut un violent frisson.

— Vous savez aussi ? Qui donc vous a appris ?

Ghislain s'avança.

— C'est moi, Bertine, je suis Ghislain de Vaulan.

— Ah ! je m'en doutais bien ! murmura-t-elle. Vous ressemblez tant aux portraits de là-bas ! Et puis, j'avais reconnu vos grands yeux bruns, doux et fiers comme autrefois. Voyez-vous, je vous ai revu bien souvent, dans les épouvantables cauchemars qui ont fait, pendant des années, de mes nuits un véritable martyre !

Elle parlait d'un ton saccadé, un peu sifflant ; un effroi rétrospectif semblait passer dans ses yeux ternis, profondément creusés.

— Pourquoi cela ? dit la voix frémissante de Ghislain. Quels souvenirs vous rappelais-je donc, pour vous produire un tel effet ?

Le visage de Bertine se raidit soudainement.

— Rien, rien... Laissez-moi, je n'ai rien à dire.

Noella se pencha et posa sa main fine et blanche sur celle de Bertine, déformée et noircie.

— Bertine, je vous en supplie, réfléchissez ! Par quelques mots, vous pouvez réparer les fautes de jadis. Car nous savons que vous

connaissez bien des choses qui peuvent aider M.
de Vaulan à reconquérir ses droits. Bertine, au
nom de Julienne, de votre chère petite morte
qui vous attend dans le ciel, dites-nous ce que
vous avez pu voir au château de Sailles !

Bertine tremblait convulsivement. Ses yeux
un peu hagards se posèrent longuement sur
la jeune morte. Puis elle se tourna vers Noella
et Ghislain.

— Après tout, que m'importe ! dit-elle d'une
voix rauque. Avant, quand elle vivait, je n'aurais rien dit, parce qu'elles m'auraient fait disparaître. Je sais de quoi elles sont capables. Mais
aujourd'hui que ma Julienne est partie, je peux
parler, je ne crains plus de mourir. Et si, comme vous le dites, mes aveux peuvent me donner
la paix, je ne regretterai rien. La paix ! je ne
la connais plus, depuis que j'ai vu mourir successivement tous mes enfants et la noire misère
s'abattre sur nous ! C'est alors que le remords
a commencé à me torturer, et depuis il ne m'a
plus quitté. J'ai essayé de l'étourdir, et il était
là toujours !

Les mots s'échappaient maintenant, pressés,
de sa gorge haletante. Elle racontait ses débuts
au château de Sailles, l'empire qu'avait pris sur
elle la baronne Van Hottem, insinuante et géné-
reuse. Toute la domesticité, d'ailleurs, était à la
dévotion de cette femme habile qui savait payer
à propos et sans compter le plus léger service,
cela, avec l'argent distrait des sommes con-

sidérables données par le duc de Sailles pour
l'entretien de la maison, et si adroitement que
rien ne paraissait en souffrir. C'est ainsi qu'elle
avait fait de Bertine une complice, presque in-
consciente d'abord de la tâche qu'on lui faisait
remplir. Peu à peu, la femme de chambre avait
compris cependant. Mais elle était comblée de
présents, auxquels venaient s'ajouter de fortes
sommes d'argent, et, plus encore, peut-être,
sa bouche était close par la peur que lui ins-
pirait la Javanaise, cette créature étrange qui
semblait tout voir et tout connaître, et qu'elle
devinait capable de ne reculer devant aucun
crime. Non, pas même devant la mort de la
malheureuse comtesse de Vaulan, lorsqu'un papier échappé de la main de la jeune femme
évanouie lui avait révélé que celle-ci était prévenue du crime perpétré sur elle et l'enfant.

— Je l'avais ramassé la première, j'y avais
jeté les yeux. Mais Akelma me l'enleva des
mains, le lut et devint couleur de cendre. Lorsque Mme de Vaulan, en revenant à elle, récla-
ma ce papier, Akelma déclara n'avoir rien vu...
et je dis comme elle. Puis la Javanaise m'envoya
demander une tisane calmante. Quand je revins,
une odeur étrange flottait dans la chambre, et
Mme la comtesse dormait. Elle ne se réveilla
jamais..

Bertine se laissa tomber sur une chaise et
pressa son front entre ses mains tremblantes.

— Le soir même, je trouvai dans ma cham-

bre une grosse somme, destinée à acheter mon
silence. Mme Van oHttem me connaissait, elle
savait que je désirais passionnément devenir
riche. Et elle n'eut pas de peine, une fois que
je fus mariée, à nous décider à nous expatrier à
Java, où elle nous promettait monts et merveilles. Nous n'y avons trouvé que la misère. Et c'est
là, à la mort de mon premier enfant, que le
remords a commencé à s'emparer de moi. Depuis, il ne m'a plus laissée en repos. Quand
je rencontrais le regard si pur de ma Julienne,
je frémissais jusqu'au fond de l'âme. Oh ! si elle
avait connu les fautes de sa mère, quel martyre
pour elle, mon pauvre petit ange.

Des larmes lentes coulaient maintenant sur
ce visage flétri, ravagé par la misère physique
et morale. Quelque chose semblait se détendre
chez cette femme, en même temps que s'échap-
pait enfin le secret qui la torturait.

Ghislain, dont le visage était extrêmement
pâle, se pencha et posa sa main sur le bras de
la malheureuse.

— Bertine, vous venez de réparer, par cet
aveu, votre coupable complicité. Lorsque les
misérables criminelles paraîtront devant les tribunaux, puis-je compter sur vous pour répéter
ce que vous venez de nous dire ?

Elle leva les yeux et dit d'une voix ferme :

— Oui, je le répéterai, je ne crains plus rien
maintenant, et je serai heureuse de contribuer
à vous faire rendre ce qui vous appartient, car

vous avez été si bon pour ma Julienne ! Autrefois, vous étiez déjà ainsi, doux et charitable
au pauvre monde ; comme votre pauvre mère.
Mais rien ne pouvait m'émouvoir alors, dominée
que j'étais par la passion de l'or et la haine du
travail. Comme elles s'en sont servies, les misérables femmes ! Mais c'est fini, la punition va
venir, et vous rentrerez en maître au château de
Sailles, monsieur de Vaulan. Alors, vous essaye-
rez de pardonner à la pauvre Bertine, qui a tant
souffert à cause de ses fautes.

— Bertine, comme chrétien, et aussi en souvenir de votre sainte petite Julienne, je vous
pardonne, au nom de ma pauvre mère et au
mien, dit gravement Ghislain.

— Merci ! murmura la malheureuse avec un
soupir de soulagement.

Elle se leva, s'agenouilla devant le lit mortuaire et enfouit son visage dans les couvertures.

— Laissons-la, murmura Ghislain à l'oreille
de Noella. Sa douleur s'est transformée, elle
n'est plus effrayante et farouche comme tout
à l'heure. Peut-être la pauvre créature va-t-elle
essayer de prier.

Ils rentrèrent dans la pièce voisine d'où Martin avait suivi toute cette scène et entendu les
paroles de Bertine. Ghislain prit la main du
vieillard qui semblait en proie à une violente
émotion.

— Etes-vous sûr enfin, oncle Adrien, que la
religion possède dans son sein des âmes assez

belles pour faire contrepoids aux hypocrisies
sacrilèges d'une Van Hottem ? Comprenez-vous
la puissance qu'elle possède sur les cœurs coupables et les transformations admirables qu'elle
peut opérer en eux ?

— Oui, je comprends que j'ai eu tort, qu'il
est des douleurs qui ne peuvent être consolées
que par elle, des ruines morales qu'elle seule
aussi relève, et aussi des vertus qui ne peuvent
exister qu'incomplètes ou fragiles en dehors
d'elle.

La petite main de Noella s'étendit d'un geste
spontané et serra celle du vieillard que Ghislain
laissait libre.

— Voilà un loyal aveu, monsieur Régent, et
qui vous méritera de grandes grâces ! Vous êtes
un noble cœur, et votre élève est digne de vous,
lui qui va vers la vérité avec tant de droiture
et de courage, avec un ferme désir de la foi !

Une douce flamme passa dans le regard de
Ghislain.

— Voulez-vous que je vous donne un grand
bonheur, ma chère petite fiancée ? Tout à
l'heure, devant cet angélique lit de mort, et en
entendant les paroles que vous adressiez à cette
pauvre créature, j'ai compris tout à coup que
vos prières étaient exaucées, que j'avais la foi
vive, entière, absolue.

Noella eut un long frisson de bonheur.

— Dieu soit loué ! murmura-t-elle d'un ton
vibrant d'allégresse. Lorsque le Seigneur nous

aura unis, nous ne ferons plus qu'un cœur et qu'une âme, Ghislain !

De nouveau, tous trois s'assirent devant le foyer, et dans une grave causerie entrecoupée de longs silences pleins de songeries, attendirent les premières lueurs du jour.

Alors Ghislain se leva en déclarant qu'il allait se rendre à Rocherouge pour demander une voiture afin de ramener l'ex-prisonnière. Puis, aussitôt le télégraphe ouvert, il préviendrait les autorités afin que l'on opérât l'arrestation des coupables.

— Quelle stupéfaction vous allez jeter à Rocherouge, Ghislain ! dit Noella. Mme Van Hottem était leur amie. Heureusement, Mlle Charlotte ne se trouve pas là en ce moment, car il aurait été dur pour elle d'apprendre que celui qu'elle considérait presque comme son fiancé est le fils d'une épouvantable criminelle.

— Il y a bien d'autres choses qui lui seront dures ! murmura Ghislain avec un sourire de légère ironie. Allons, je vous laisse sous la garde de l'oncle Adrien, chère Noella, et je cours jeter là-bas la révolution.

....

Ce matin-là, Mme Van Hottem, en s'éveillant, constata avec un peu d'étonnement que sa fidèle Javanaise n'était pas à son poste accoutumé, au pied du lit où elle guettait chaque jour le

réveil de sa maîtresse. La baronne sonna une
femme de chambre et s'informa d'Akelma.

— Personne ne l'a encore vue ce matin, madame la baronne, lui fut-il répondu.

Mme Van Hottem pensa :

— Elle est sans doute occupée avec la prisonnière. Peut-être a-t-elle trouvé un bon moyen
pour l'obliger à obéir sans délai.

Et sans s'inquiéter davantage, elle se fit coif-
fer et habiller et s'assit dans le salon voisin de
sa chambre pour attendre la servante qui allait
certainement venir lui faire son rapport.

Mais les instants s'écoulaient et Akelma n'apparaissait pas. Peu à peu, l'anxiété gagnait la
baronne. Depuis qu'elle avait pressenti en l'ingénieur d'Eyrans ce Ghislain de Vaulan si mystérieusement disparu, depuis surtout que la Javanaise avait surpris l'entretien du jeune homme
et de sa fiancée, révélant qu'il était prêt à tout
tenter pour recouvrer ses droits, elle se trouvait
en proie à des inquiétudes atroces. Ses nuits
se passaient sans sommeil ou se peuplaient d'é-
pouvantables cauchemars, et, durant le jour,
les moindres faits la jetaient en d'étranges
alarmes.

Voyant que la singulière absence d'Akelma
se prolongeait décidément, elle quitta son appartement et gagna la chambre de la Javanaise.
Le lit n'avait pas été défait, et le grand manteau
dont s'enveloppait la servante pour ses espion-
nages au dehors était jeté sur une chaise —

preuve certaine qu'elle n'était pas sortie du château.

À l'office, tous les domestiques répétèrent de nouveau qu'ils ne l'avaient pas vue ce matin. Mme Van Hottem, de plus en plus inquiète, se mit alors à parcourir le château. En passant dans un couloir, elle se baissa tout à coup et ramassa un morceau de soie rayée rouge et jaune, qui semblait avoir été violemment arraché.

— Un morceau de sa coiffure ! murmura-t-elle d'une voix tremblante. Mais alors... que s'est-il passé ?...

Aussi vite que le lui permettait son embonpoint, elle gagna la grosse tour, gravit les marches jusqu'au second étage. Un cri de rage et d'effroi lui échappa à la vue de la porte ouverte et de la prison vide.

— Ils l'ont enlevée ! Et Akelma est en leur pouvoir ! Nous sommes perdus !

Elle s'appuyait au mur, car ses jambes frissonnantes avaient peine à la soutenir.

Soudain, elle sursauta.

— Ils vont prévenir la justice ! On va venir m'arrêter ! Et Pieter, Pieter qui ne se doute de rien ! Il faut fuir sans retard !

Cette pensée la galvanisa. Elle redescendit, courut presque jusqu'à l'appartement des ducs.

Contre sa coutume, Pieter était déjà levé, à cette heure matinale pour lui. Il avait décidé d'aller taquiner quelques lapins dans le parc,

afin de s'exercer au noble plaisir de la chasse.
En chantonnant un refrain inepte, le jeune
baron achevait donc de s'habiller, lorsqu'un coup
bref fut frappé à sa porte.

— Entrez !... Ah ! c'est vous, ma mère !... Ciel !
quelle mine !

D'un geste, la baronne lui intima le silence,
tout en jetant un coup d'œil vers le cabinet de
toilette où le valet de chambre rangeait les
effets de son maître.

— Viens chez moi, j'ai à te parler, dit-elle
d'une voix sourde.

— Est-ce très pressé ? Laissez-moi au moins
attacher ma cravate.

— Viens, te dis-je ! répéta-t-elle en lui sai-
sissant le bras.

En maugréant, Pieter se laissa emmener. Une
fois dans la chambre de sa mère, il demanda
d'un ton rogue :

— Eh bien ! dites-moi maintenant ce que
signifie tout cela !

— Cela signifie que tout à l'heure peut-être,
Ghislain de Vaulan, muni de preuves écrasantes,
va venir nous chasser d'ici... me faire arrêter.

Pieter bondit.

— Vous dites !... Vous faire arrêter ? Pourquoi ?... Auriez-vous, par hasard, falsifié le testament ?...

— Le testament est absolument véritable.

— Alors ?...

La pâleur de la baronne se fit plus intense.

Elle prit les mains de son fils et plongea son regard dans les yeux du jeune homme.

— Pieter, on m'accuse... d'avoir fait mourir la comtesse de Vaulan, d'avoir tenté d'empoisonner son fils...

— C'est idiot ! Ces accusations ne tiendront pas debout ! Vous n'avez pas une minute à vous préoccuper de pareilles sornettes ! s'écria Pieter avec colère. C'était vraiment bien la peine de me faire cette peur...

Elle lui saisit violemment le bras.

— Pieter, la situation est grave. Il faut nous éloigner, quitter cette demeure, laisser tomber tout ce tapage qui se prépare.

— Fuir !... Ah ! ça ! on croirait vraiment que vous êtes coupable !

La baronne tressaillit de tout son être et lâcha le bras de son fils. Celui-ci continua avec une véhémence rageuse :

— Ah ! non, par exemple, je ne m'en irai pas ! Si vous croyez que je vais laisser la place à ce Dugand ! Qu'il vienne donc, avec ses accusations, nous aurons vite fait de les réduire à néant !

Elle joignit brusquement lse mains.

— Pieter, je t'en supplie ! Je sens que rien ne pourra nous sauver ; tandis qu'en fuyant, nous emporterons de quoi vivre.

La main de Pieter se posa violemment sur le bras de sa mère.

— Mais dites alors que ces gens vous accusent

avec raison ! Sans cela, vous vous moqueriez
de leurs preuves !

Blême, les traits convulsés, elle murmura :

— Pieter !... c'était pour toi... pour te faire
riche et heureux...

Il eut une imprécation et lâcha le bras de sa
mère.

— Ah ! c'est donc vrai !... La réussite est
parfaite ! Me voilà devenu un misérable sans
le sou, dont tout le monde s'écartera parce qu'il
est le fils d'une criminelle.

Une rage folle s'emparait de lui, les mots
sortaient de ses lèvres comme un flot furieux.
Et sa mère, tremblant convulsivement, les yeux
dilatés, écoutait cet enfant pour lequel elle
avait sacrifié jusqu'à son âme, et qui ne trouvait en ce moment à lui adresser que les plus
durs reproches à cause de la misère toute proche pour lui — car, au point de vue moral,
Pieter ne paraissait pas frappé. Pour lui, l'honneur était un mot sans beaucoup de sens, l'argent avec le bien-être qu'il procure primant
tout.

Il s'interrompit soudain. La baronne venait
de chanceler, un flot de sang lui montait au
visage. Les bras débiles de son fils ne purent
la soutenir, et elle s'écroula sur le parquet.

Un moment, Pieter demeura ahuri devant ce
corps étendu. Puis il fit un mouvement pour
s'élancer vers la sonnette. Mais il s'arrêta brusquement, réfléchit un instant.

— Oui, il le faut !... Il ne lui servirait à rien
que je reste ici, tandis que je peux encore me
sauver.

Il marcha vers un coin de la chambre où était
scellé un petit coffre-fort et fit jouer le ressort.
Des piles d'écrins se trouvaient rangées là. Pieter
les ouvrit, sortit les magnifiques parures de dia-
mants, d'émeraudes, de rubis, tous les célèbres
bijoux des duchesses de Sailles, il en remplit
une valise qu'il alla chercher dans le cabinet
de toilette de sa mère, en y joignant des liasses
de valeur. Cela fait, il gagna sa chambre, prit
un pardessus et un chapeau, puis revint dans
la chambre de Mme Van Hottem.

Il prit la valise et vint se pencher au-dessus
de sa mère. Celle-ci était toujours sans mouvement, le teint violacé, les yeux tournés.

Pieter sortit de la chambre, il dissimula dans
un couloir obscur la valise, le vêtement et le
chapeau et revint agiter avec fracas la sonnette.
Il donna l'ordre d'aller en hâte chercher un
médecin, s'agita quelques instants autour du lit
où l'on avait déposé sa mère.

Cependant, un quart d'heure plus tard, il
dévalait en courant, la valise en main, un ver-
tigineux sentier conduisant en ligne directe au
village. Jamais le peureux Pieter ne s'y était
hasardé jusqu'alors. Mais aujourd'hui, il s'agissait de sauver une fortune, et pour ce but Pieter
trouvait juste d'exposer tant soit peu sa précieuse existence. En arrivant au bas du sentier,

il obliqua et prit à travers champs pour gagner
la gare. Il se hâtait, car il savait que dans peu
d'instants passerait un train qui le déposerait
à Périgueux, d'où il pourrait aussitôt sauter
dans un autre à destination de Bordeaux. Là-
bas, il verrait à s'embarquer sur quelque bâti-
ment en partance, qui le conduirait vers une
destination quelconque — peu lui importait
pour le moment, l'essentiel étant d'échapper à
la justice qui ne manquerait pas de trouver
mauvaise cette disparition d'une partie de la
fortune des ducs de Sailles.

La gare était enfin atteinte. Pieter prit son
billet et passa sur le quai, salué par les em-
ployés.

Une exclamation d'effroi s'étouffa dans sa
gorge. Sur le quai, près d'un grand vieillard,
Ghislain de Vaulan causait avec M. de Ravines,
rouge et animé. Pieter fit un mouvement de
recul. Mais il avait été vu. Ghislain se pencha
vers ses compagnons et leur dit quelques mots.

— Mais vous avez raison ! s'exclama M. de
Ravines.

Sans mot dire, le vieillard s'avança vers Pieter
atterré et lui posa la main sur le bras.

— Voulez-vous me suivre un instant, monsieur ? J'aurais une petite communication à vous
faire. Le baron reprenait enfin quelque peu de
sa présence d'esprit.

— A quel propos vous permettez-vous de
m'accoster ainsi ? dit-il avec arrogance.

— Je vais vous l'apprendre. Suivez-moi, fit impérativement Martin Régent.

Pieter comprit qu'il n'avait qu'à obéir, sous peine de faire un esclandre. Il suivit le vieillard dans la salle d'attente déserte, non sans jeter au passage un noir regard vers Ghislain grave et impassible.

— J'ai donc une petite communication à vous faire... une communication désagréable, dit Martin Régent sans préambule. Peut-être ignorez-vous que la baronne Van Hottem est sous le coup d'une arrestation immédiate ; mais il se pourrait bien aussi que je ne vous apprenne rien.

Sous le regard perçant qui s'enfonçait dans le sien, Pieter se troubla. Il essaya pourtant de payer d'audace.

— Ma mère, arrêtée ? Ah ! ça, est-ce pour écouter les élucubrations d'un fou que j'ai dû vous suivre jusqu'ici ?

— Pas d'insolences, monsieur Van Hottem, dit froidement le vieillard. Votre physionomie ne m'a pas trompé, non plus que tout à l'heure votre mouvement si particulier à la vue de mon jeune maître. Vous tentiez de fuir... en emportant des subsides.

Un cri de rage s'étouffa dans la gorge du baron.

— Vous osez ! misérable ! Ne semble-t-il pas, vraiment, qu'il me soit interdit de voyager à mon gré ?

— Oh ! parfaitement, vous étiez libre... à la

condition de ne rien emporter de ce qui ne vous
appartenait pas.

— Vous êtes un scélérat, un misérable ca-
lomniateur ! rugit Pieter affolé de fureur.

— Nous verrons. Tenez, ouvrez-moi donc
cette valise, nous constaterons si je me suis
trompé. Dans le cas où je ne trouverais rien, je
vous laisserais aller. Oh ! en toute liberté, je
vous le promets !

— Et quand même j'emporterais quoi que
ce soit, qu'aurait-on à me dire ? s'écria Pieter,
emporté hors de toute prudence par le paro-
xysme de la rage. Tout m'appartient au château
de Sailles.

— Hum ! si c'est votre avis, ce n'est pas le
mien. D'ailleurs, la justice décidera. Mais, pour
cela, il convient que vous ne quittiez pas le pays.
Et je vais être obligé de vous tenir compagnie
ici, en attendant l'arrivée du procureur de la
République.

Avant que Pieter eût pu protester, Martin
Régent était à la porte de la salle d'attente.

Il appela :

— Monsieur le duc !

Ghislain s'avança vivement.

— Je vais rester à garder le personnage et sa
sa précieuse valise. Nous avons eu une fameuse
idée d'accompagner jusqu'ici M. de Ravines !
Sans cela le coquin filait en emportant la forte
somme... en digne fils de sa mère. Retournez
à Saint-Pierre, monsieur le duc, moi je reste ici,

aussitôt que la justice débarquera, je lui ferai mon rapport et lui remettrai le personnage.

— Quelle corvée pour vous, oncle Adrien ! Je viendrai tout à l'heure vous remplacer dans cette surveillance.

— Certes non ! Ce n'est pas à vous de faire le geôlier ! Oh ! les heures vont passer bien vite pour moi en songeant à la satisfaction que j'aurai à faire coffrer tous ces voleurs !

Et, tranquillement, le vieillard retourna s'asseoir près de Pieter, complètement affaissé maintenant en se voyant irrémédiablement perdu.

VI

Regrets tardifs

Avant la fin de la journée, les dramatiques événements dont le « château Noir » avait été le théâtre étaient connus de tous les alentours, et dès le lendemain les journaux, en l'enjolivant plus ou moins, lançaient à travers la France cet intéressant fait divers.

Mme d'Egrivens, la cousine chez qui se trouvait en ce moment à Bordeaux Charlotte de Ravines, en ouvrant distraitement le grand quotidien que venait de lui apporter sa femme de chambre, tomba précisément sur ces lignes :

SENSATIONNELLE AFFAIRE
EN PERIGORD

Un enlèvement.

Les révélations de deux disparus.

Mme d'Ecrivens commença à lire distraitement d'abord, puis avec avidité. Tout à coup, elle se leva et s'élança dans la corridor de son appartement.

— Charlotte, Charlotte !

Une porte s'ouvrit, laissant apparaître la mince silhouette de Charlotte enveloppée d'un peignoir rose pâle.

— Qu'y a-t-il, Roberte ?

— Une chose inouïe, invraisemblable, qui vient de se passer à Sailles ! Mais lis, tu comprendras mieux !

Elle lui tendit la feuille, et Charlotte, en un instant, eut dévoré le récit, forcément succinct, car les reporters ignoraient encore beaucoup de détails.

— C'est inouï, en effet ; c'est épouvantable ! balbutia Charlotte, toute pâle.

— N'est-ce pas ? Et dire que, d'un peu plus, tu aurais été fiancée au fils de cette coquine ! Tu l'as échappé belle, ma chérie ! Maintenant, il s'agit de faire la conquête du nouveau duc. Mais, j'y pense, tu dois le connaître beaucoup, puisqu'il était l'ingénieur de ton père ?

— Oui, assez, murmura la voix troublée de Charlotte.

— Est-il bien ?

— Très bien... un vrai grand seigneur...

— Mais alors, c'est délicieux ! Je te vois déjà duchesse, ma petite Charlotte ! Quelle différence, de toutes façons, avec ce projet Van Hottem ! Ah ! mais voilà, on a l'air de dire

là-dedans qu'il est fiancé à cette jeune fille,
Mlle des Landies, enlevée par ordre de la baronne, — je n'ai pas compris pourquoi, la chose
étant fort mal expliquée ici.

Charlotte eut un brusque mouvement.

— Je ne le pense pas. Peut-être en avait-il
quelque idée, mais maintenant...

— Oui, maintenant, il recherchera sans doute
une autre union. Je te souhaite bonne chance,
Charlotte.

— Merci, ma chère amie. Tu me pardonneras,
n'est-ce pas, de te quitter un jour plus tôt ;
mais, en présence de cette extraordinaire histoire, je vais me décider à partir demain matin,
pour me trouver sur les lieux et connaître tous
les détails de l'aventure.

— Surtout, pour ne pas manquer de voir le
plus souvent possible ce miraculeux duc de Sailles, n'est-ce pas ? dit en riant la jeune femme.
Pars quand tu voudras, ma très chère, mes vœux
bien sincères t'accompagneront.

Le lendemain, dans l'après-midi, Charlotte
descendait en gare de Saint-Pierre. Elle avait
prévenu à Rocherouge par dépêche, et trouva
son père sur le quai.

— Eh bien ! quelles histoires depuis que tu
es partie ! dit-il après l'avoir embrassée. Nous
en avons à te raconter ! Mais tu as su tout cela
par les journaux...

— A peu près seulement... J'ai besoin de beaucoup d'explications...

— Je te les donnerai plus tard. Pour le moment, partons vite, il fait glacial aujourd'hui. Notre jeune duc est là, sais-tu ? C'est lui qui nous ramène en automobile. Il est arrivé tout à l'heure à Rocherouge, et, sachant que je venais au-devant de toi, m'a offert de me conduire jusqu'ici, où il avait lui-même affaire.

Le cœur de Charlotte se mit à battre un peu plus fort, et ses joues s'empourprèrent légèrement, tandis qu'elle suivait son père hors de la gare.

Ghislain, qui se promenait de long en large devant l'automobile, s'avança d'un pas tranquille et s'inclina un peu en se découvrant. D'un geste spontané et gracieux, la main de Charlotte se tendit vers lui — pour la première fois.

— Laissez-moi vous adresser toutes mes félicitations, monsieur, dit-elle avec une amabilité émue. Vous me voyez encore toute bouleversée du récit de ces faits incroyables qui me sont parvenus par la voie des journaux.

— Je conçois, mademoiselle, que vous en ayez été profondément émue. Vous surtout étiez liée avec la baronne Van Hottem, et il est toujours pénible de constater que nous avions mal placé cette plante précieuse qui s'appelle l'amitié.

Il n'y avait rien, dans ces paroles, qui pût émouvoir Charlotte. Pourtant, elle était devenue

très pâle et serrait nerveusement les lèvres. En
un clin d'œil, elle avait compris, au ton froidement correct du jeune homme, à sa politesse
stricte, à son attitude légèrement hautaine, comme toujours à son égard, que le duc de Sailles
demeurait pour elle le même que Stanislas Dugand.

Silencieusement, elle monta en voiture, et
Ghislain, prenant place sur le siège de devant,
mit l'automobile en marche. M. de Ravines
commença alors à narrer à sa fille les derniers
événements. La baronne, frappée d'une conges-
tion, n'avait eu qu'un instant une vague lueur de
connaissance, pendant laquelle le curé avait pu
lui adresser une brève mais ardente exhor-
tation au repentir et lui avait donné l'absolution.
Presque aussitôt, elle avait rendu le dernier soupir. Akelma avait été trouvée dans le souterrain.
Elle avait repris connaissance et se tordait dans
des accès de rage qui avaient obligé à lui infliger
la camisole de force afin qu'elle n'attentât pas
à sa vie. Pieter avait été arrêté et comparaîtrait
devant le tribunal, comme étant accusé d'avoir
tenté de soustraire les précieux bijoux des ducs
de Sailles et d'importantes valeurs, trouvés dans
la valise qu'il emportait.

— Enfin, une jolie famille, comme tu vois !
dit M. de Ravines. Et penser que peut-être un
mois plus tard tu étais fiancée à ce garçon !...

Charlotte, qui avait jusque-là écouté sans mot

dire, demanda brusquement, en étendant la main
vers la glace derrière laquelle était assis Ghislain :

— Qu'est-ce que cette histoire de fiançailles
entre Mlle des Landies et... lui, que colportent
tous les journaux ?

— Mais c'est la vérité pure, ma petite ! L'ac-
cord existait entre eux avant même que Ghislain
de Vaulan connût sa véritable personnalité. Tu
comprends s'il est heureux maintenant de lui
offrir une pareille position ! Car il en est épris
à un point ! Hier, il ne vivait plus parce que
Mlle Noella, après les effrayantes émotions traversées par elle, était en proie à une forte fièvre
nerveuse qui inquiétait un peu le docteur. Il a
télégraphié à Mme des Landies, qui est arrivée
ce matin avec sa seconde fille. Aujourd'hui,
heureusement, il y a du mieux.

Ce bon M. de Ravines, très peu psychologue,
ne se doutait pas des blessures qu'il infligeait
coup sur coup à sa fille. Pâle, les traits contrac-
tés, Charlotte détournait la tête et regardait
machinalement fuir le paysage couvert de neige.

L'automobile entra dans la cour de Rocherouge et s'arrêta devant le perron. Deux exclamations joyeuses retentirent :

— Ah ! vous voilà, monsieur Ghislain !

Et avant que le jeune homme eût pu sauter
à terre, Marcelle et Vitaline, déjà grandes amies
et aussi espiègles et pétulantes l'une que l'autre,

escaladaient le siège de devant et s'installaient
près de Ghislain.

— Laissez-moi donc, petits démons ! dit-il
en riant. Je vais aider Mlle de Ravines à
descendre.

— Oh ! c'est inutile, papa s'en charge ! dit
péremptoirement Marcelle. Ecoutez, nous avons
quelque chose à vous dire... Quelque chose qui
va vous faire beaucoup de plaisir : Mlle Noella
a mangé un peu tout à l'heure...

— Et elle a l'air d'aller vraiment mieux,
acheva Vitaline.

La physionomie de Ghislain s'éclaira soudainement.

— Ah ! tant mieux ! Merci, mes petites amies.
Vous lui direz que j'ai tant de hâte de la voir !

— Et elle donc ! Elle a relu bien des fois le
petit billet que maman lui a remis de votre part,
et elle m'a chargée de vous dire qu'elle priait
beaucoup à votre intention. Mais, si vous êtes
content, monsieur Ghislain, vous allez, pour
nous remercier, nous faire un grand plaisir,
dites ? ajouta Vitaline d'un petit ton câlin.

— De quoi s'agit-il, ma future belle-sœur ?

— Emmenez-nous faire une promenade en
automobile !

— Il est bien tard aujourd'hui, et j'ai affaire
à l'usine. Mais demain, si Noella va mieux, et
si vos parents le permettent.

— Oh ! moi, je vous confierai très volontiers mon petit diable ! dit en riant M. de Ravines. Allons, descendez, petites, ne dérangez pas plus longtemps M. de Sailles.

Après de vigoureuses poignées de main échangées avec les deux fillettes et M. de Ravines, et un salut adressé à Charlotte, Ghislain reprit le chemin d'Eyrans. Charlotte gagna le salon où sa mère, un peu fatiguée, était étendue sur une chaise longue. Près d'elle, Maurice lisait à haute voix. A l'entrée de sa sœur, il leva les yeux et enveloppa d'un coup d'œil rapide, un peu ironique, la physionomie changée de Charlotte.

— Quelle mouche t'a donc piquée pour que tu reviennes un jour plus tôt dans ce « trou » de Saint-Pierre ? demanda-t-il en se levant et en lui tendant la main.

— Il se passe ici des choses assez extraordinaires pour que j'aie désiré me trouver mise plus vite et plus sûrement au courant, répondit-elle avec sécheresse, tout en se penchant vers sa mère pour l'embrasser.

— Ah ! oui, pour extraordinaires, elles le sont ! soupira Mme de Ravines. Tout cela m'a terriblement ébranlé les nerfs, d'autant plus que j'ai dû hier soigner cette pauvre jeune fille. Heureusement, aujourd'hui, sa mère est là, et ma responsabilité se trouve dégagée. Mais tu sembles toi-même fatiguée, Charlotte ?

— Oui, j'ai un peu de migraine, aussi vais-
je me retirer dans ma chambre et me coucher
après avoir bu une tasse de thé... Bonsoir, maman ; bonsoir, Maurice.

Elle s'éloigna, suivie du regard par son frère.

— Une rude déception ! murmura-t-il en
s'asseyant de nouveau près de la chaise longue.

Sa mère le regarda avec surprise.

— De quoi parles-tu, Maurice ?

— De l'amer regret que doit éprouver en ce
moment cette pauvre Charlotte, si dédaigneuse
envers l'ingénieur Stanislas Dugand, et qui voit
aujourd'hui lui échapper irrémédiablement le
duc de Sailles, fiancé à la jeune fille qu'elle
traitait avec tant de hauteur.

— Cela est pénible, en effet, et il faut convenir que Charlotte a mal manœuvré. Mais se
serait-on jamais douté de pareille chose ! Cette
pauvre Charlotte va souffrir ici ; elle aurait
mieux fait de rester à Bordeaux.

En ce moment, Charlotte se faisait la même
réflexion. Elle venait de se jeter sur sa chaise
longue, et, la tête enfouie dans les coussins, elle
pleurait. Larmes de rage, larmes d'envie et
d'amer regret, larmes de douleur aussi. Car ce
cœur orgueilleux, froidement égoïste, avait senti
quelque chose d'inconnu s'émouvoir en lui. Depuis quelque temps, sans vouloir se l'avouer,
Charlotte de Ravines aimait le jeune ingénieur
qu'elle avait naguère qualifié de « subalterne »

avec un si beau dédain. Cette souffrance se
mêlait à l'amour-propre profondément blessé,
à la jalousie qui lui emplissait l'âme à l'égard
de Noella, la jolie fiancée si aimée dont il lui
faudrait voir le bonheur.

— Oh ! que ne suis-je restée à Bordeaux !
Mais je ne pouvais pas croire cela... j'espérais
encore... Et c'est elle qui sera duchesse... qui
sera sa femme !

....

Ce fut le jour de Noël que Noella obtint la
permission de descendre pour la première fois
de sa chambre et même de se rendre en voiture
à la messe d'actions de grâces que faisait dire
Ghislain. Celui-ci avait demandé la faveur de
conduire sa fiancée et sa famille, au grand
complet, car Raoul était arrivé de Pau et Pierre
de Bayonne. Le jeune duc de Sailles, debout
près de Noella, assista à la messe avec un recueillement qui fut fort remarqué. On se poussait du coude pour se montrer Martin Régent,
ce modèle des serviteurs, qui partageait avec
son maître les honneurs de la curiosité publique.
Et tout au bas de l'église, une femme hâve et
triste, proprement vêtue de noir, priait pour
celui dont la charité la préservait de la misère
et fleurissait généreusement la petite tombe où
dormait Julienne Vaillant.

Cette même femme, vers la fin de cette

après-midi de Noël, s'acheminait, un modeste bouquet à la main, vers Rocherouge et sonnait à la porte du petit castel.

— Pourrais-je parler à Mlle des Landies ? demanda-t-elle au domestique qui vint lui ouvrir.

Celui-ci toisa avec quelque dédain cette créature à l'air minable.

— Oh ! pour cela non, ma bonne femme ! M. le duc de Sailles vient d'arriver, et vous comprenez que sa fiancée ne le quittera pas pour vous recevoir.

Bertine jeta un coup d'œil navré sur son bouquet. Allait-elle donc être obligée de le remporter ?

Tout à coup, son regard s'illumina. Elle venait d'apercevoir Martin Régent qui apparaissait sur le perron avec Maurice d'Aubars.

— Eh bien ! demandez à M. Régent la permission que je lui dise un mot.

— Ça, si vous le voulez, répondit le domestique avec condescendance.

Bertine le suivit vers le perron. Le vieillard, la reconnaissant aussitôt, s'écria :

— Tiens, c'est vous, madame Vaillant ! Que désirez-vous ?

— Je venais souhaiter la fête de Mlle Noella, monsieur, lui offrir tous mes souhaits de bonheur, ainsi qu'à M. de Vaulan... M. le duc, veux-

je dire, et les remercier de ce qu'ils ont fait
pour ma Julienne, pour moi.

— Mais ils en seront très heureux ! Venez
donc, je vais vous conduire près d'eux.

Bertine, toute rassérénée, le suivit jusqu'au
salon où Mme des Landies s'absorbait dans une
lecture, tandis que Noella et Ghislain, assis un
peu plus loin sur un petit canapé, causaient, la
main dans la main.

— Je vous amène encore un bouquet de fête,
mademoiselle Noella, dit en souriant Martin
Régent.

— Ah ! c'est Bertine ! dit Noella avec un joli
geste amical. Comme c'est gentil d'avoir songé
à ma fête, ma bonne Bertine !

— Mademoiselle, je n'oublierai jamais ce que
je vous dois, dit la femme d'une voix que l'émotion rendait un peu rauque. Je me souviendrai
aussi toujours de la bonté, de la miséricorde de
M. le duc envers une créature coupable, une
misérable qui a laissé faire tant de mal à sa
mère et à lui-même.

Un geste de Ghislain l'interrompit.

— Ne parlons plus de cela, Bertine ! Il vous
faudra encore réveiller ces vieux souvenirs devant les tribunaux, mais ensuite, vous ne devez
plus y penser, sauf pour remercier Dieu qui
a eu pitié de vous.

Bertine secoua la tête.

— Ces choses-là ne s'oublient guère, monsieur le duc ! Enfin, peut-être qu'avec le temps...

Mademoiselle Noella, j'étais venue pour vous offrir tous mes vœux de bonheur, pour vous et pour M. de Vaulan. Je veux aussi vous remercier tous les deux. Jamais je ne pourrai le faire assez !

Noella, très émue, prit le modeste bouquet et tendit à Bertine sa petite main où brillait la bague de fiançailles que Ghislain lui avait tout à l'heure mise au doigt.

— Moi aussi, je vous remercie, Bertine. Vous êtes au nombre de ceux pour qui je prie particulièrement chaque jour, et je serai toujours contente lorsque vous viendrez me voir pour parler ensemble de votre chère petite Julienne.

Bertine remercia et s'éloigna, le visage transfiguré.

— Restez donc ici, oncle Adrien, dit Ghislain en voyant le vieillard prêt à sortir discrètement du salon. Vous savez bien que je veux, malgré vos protestations, vous considérer comme mon père adoptif, et votre place est ici, près de Mme des Landies. Qu'en dites-vous, Noella ?

— Je dis que je vous approuve de tout cœur, Ghislain, répondit la jeune fille avec un joli sourire. Asseyez-vous près de maman, cher monsieur Régent. N'êtes-vous pas content de jouir de plus près de notre bonheur ?

Tout en parlant, elle s'était levée et se rapprochait du vieillard. Celui-ci enveloppa d'un regard attendri le délicat visage qui avait perdu aujourd'hui la pâleur des jours précédents.

— En doutez-vous, mademoiselle ? Le bonheur de mon maître bien-aimé est le mien, vous le savez. Quant à vous, comment ne serais-je pas ravi de vous voir heureuse, vous si délicieusement bonne, si charmante, si digne d'être la compagne de cet être remarquable entre tous qui s'appelle le duc Ghislain de Sailles !

Le jeune homme se mit à rire gaiement.

— A la bonne heure, vous maniez supérieurement le compliment, cher oncle Adrien ! Pour un peu, je rougirais aussi, comme vous, ma Noella.

— Vous devenez taquin, Ghislain ! Il faudra que je vous corrige de ce vilain défaut. Voulez-vous venir m'aider à arranger ces fleurs ?

Il se leva avec empressement et s'approcha de la table où étaient disposés les bouquets reçus par Noella à l'occasion de sa fête. L'un d'eux était composé uniquement d'énormes roses de Noël, à peine rosées. Il avait été apporté ce matin même par Ghislain à sa fiancée.

— Nous allons mettre à côté du vôtre celui de Bertine, n'est-ce pas, Ghislain ? La reconnaissance et le repentir de cette malheureuse sont si touchants ! Mais je me doute que vous êtes très bon pour elle, et que vous avez déjà comblé de bienfaits cette femme dont les torts furent si grands envers vous.

Il répondit, tout en prenant le bouquet pour l'entrer dans un vase à long col :

— A quoi servirait la fortune, si on ne l'em-

ployait à répandre le bien autour de soi ? J'ai
à ce propos des projets que je veux vous soumettre, chère Noella.

Il prit la main de la jeune fille et la ramena
jusqu'au canapé sur lequel ils s'assirent de nouveau. Alors il fit passer devant les yeux ravis
de Noella une vision d'œuvres charitables, de
vie sérieuse et haute, de grandes pensées dignes
de ces deux cœurs si nobles, élevés au-dessus
des banales jouissances du monde.

— C'est cela qui vous plaira, n'est-ce pas,
Noella ? En dehors des obligations de notre
rang, vous ne désirez pas le grand luxe, les eni-
vrements de la vanité, les succès que vous pourriez recueillir dans le monde ?

Elle eut un de ces délicieux sourires qui éclai-
raient si bien sa physionomie sérieuse.

— En doutez-vous, Ghislain ? Mon bonheur
sera de m'unir à vous pour répandre sur les dés-
hérités de ce monde la fortune qui vous est
si miraculeusement rendue. Mais, à ce propos,
je voulais vous demander...

Un peu d'embarras timide paraissait sur sa
physionomie.

— Quoi donc, ma chère fiancée ? Vous savez
bien que j'accéderai avec bonheur à tous vos
désirs !

— Je sais surtout que vous êtes si bon ! Et
c'est à cette bonté même que j'ai recours en ce
moment. Ce malheureux garçon, ce Pieter Van

Hottem, sera probablement condamné à la prison ?

— Sans doute.

— Après cela, il se trouvera sans ressources, incapable de gagner sa vie, méprisé de tous, aigri par sa détention. Ghislain, ne pensez-vous pas qu'il serait charitable d'aider ce malheureux, dont l'éducation fut si mal dirigée par une mère idolâtre, et qui n'est peut-être pas, de ce fait, entièrement responsable des défauts de sa nature faussée ?

Ghislain se pencha et baisa la main de sa fiancée.

— Vous êtes exquise ! dit-il avec un sourire ému. Je n'ai rien à vous refuser, ma rose de Noël, je vous promets de m'occuper de cet intéressant personnage. Mais voyons, n'allez-vous pas me demander quelque chose pour cette coquine d'Akelma ?

— Oh ! elle, la malheureuse, sa peine sera autrement dure et longue ! Merci, mon cher Ghislain ! quand je vous disais que vous étiez si bon !

— Que sera-ce donc lorsque j'aurai vécu un peu près de vous ! murmura-t-il.

La famille de Ravines entrait en ce moment, l'heure du dîner approchant. L'habituel repas de Noël offert par les maîtres de Rocherouge aux notabilités de la région se trouvait cette année devenu, en outre, un repas de fiançailles. Peu à peu, les invités arrivaient, empressés à

féliciter le jeune duc de Sailles et Noella, toute
rose d'émotion joyeuse. Le dernier, M. Holker,
fit son apparition, un peu bruyante comme toujours. Il s'avança vivement et secoua avec énergie la main que lui tendaient successivement
les fiancés.

— A la bonne heure, cela fait du bien de voir
des gens si heureux ! Vous aurez là un fameux
mari, je vous le promets, mademoiselle ! Savez-
vous ce qu'il m'a appris hier ? Tout simplement
qu'il continuerait d'exercer les fonctions d'ingénieur à l'usine, où il deviendrait notre associé,
de façon à agrandir l'entreprise. Et savez-vous
pourquoi ? Pour gagner de l'argent, pensez-vous ?
Ou bien encore pour faire de l'originalité ? Cela
prouve que vous ne connaissez pas cet être-là...

— Voyons, monsieur Holker ! dit Ghislain
d'un ton de reproche.

— Oh ! vous ne me ferez pas taire, mon cher
duc. Oui, ce jeune homme qui pourrait se donner
maintenant toutes les satisfactions, va employer
son intelligence, sa fortune et son cœur à organiser une vaste entreprise où tout concourra au
bien matériel et surtout moral du peuple. Il me
l'a déclaré sans ambages, avec une simplicité
qui m'a ravi, je l'avoue : il veut contribuer de
toutes ses forces, de toute son âme, à la régéné-
ration de l'âme de ses frères les plus humbles,
sans avoir égard à l'ingratitude, à la malveillance, aux injustices qui le guettent. Je le
connais, il possède l'énergie nécessaire pour cette

tâche, il a la belle vaillance française, et sa foi
de chrétien l'élèvera au-dessus des bassesses et
des vilenies qui ne manqueront de s'agiter autour de lui.

— Bravo, monsieur Holker, bravo ! s'écria
vivement Maurice d'Aubars. Ce que vous dites,
nous le pensons tous.

— Vous aussi, Maurice, allez-vous vous mettre de la partie ? interrompit en riant Ghislain.

— Pourquoi pas, mon cher ami ? Mais non,
je veux ménager votre modestie, et je me tais,
rassurez-vous. Eh bien ! avez-vous définitivement fixé la date de votre mariage ?

— Définitivement, non, cela est impossible.
mon nouvel état-civil demande quelque temps
à établir, il y a quantité d'autres formalités
à remplir. Bref, je ne compte pas que notre
mariage ait lieu avant deux mois. D'ici là, on
me verra souvent sur la route de Pau, ajouta-t-
il avec un sourire à l'adresse de sa fiancée.

— Bon, j'ai le temps de me préparer à remplir le rôle de garçon d'honneur. Car, vous
savez, je le retiens, Ghislain ?

D'un geste spontané, la main de Ghislain
saisit celle de Maurice et la serra fortement.

— Oui, je serai heureux de vous voir remplir près de moi ce rôle de l'amitié. Car vous
demeurerez toujours un de nos plus chers amis,
Maurice.

Une fugitive émotion passa sur la physionomie
du jeune d'Aubars. Mais, un instant après, son

habituelle expression de gaieté spirituelle était revenue, et ce fut d'un ton mi-souriant, mi-sérieux qu'il murmura en passant près de sa sœur aînée dont le regard dur et envieux se reportait sans cesse sur les fiancés :

— Ma chère amie, fais comme moi, réjouis-toi du bonheur des autres, sans arrière-pensée. C'est le seul moyen de se consoler de certaines petites déceptions de cœur... ou d'amour-propre.

FIN

TABLE

Première Partie

LES MYSTERES DU CHATEAU NOIR

Deuxième Partie

STANISLAS DUGAND

Troisième Partie

ROSE DE NOEL

COLLECTION
ROMANESQUE

éditions du dauphin

43-45, rue de la Tombe-Issoire - 75014 PARIS - Tél. 331 79 00

DELLY

La porte scellée.
Le chant de la misère.
Le Violon du Tzigane.
Les Solitaires de Myols.
Rue des Trois-Grâces.
Le Roi aux yeux de rêve.
L'Héritier des Ducs
de Sailles.
La Maison dans la Forêt.
Cité des Anges.

ANNE-MARIEL

La Piste perdue.
La prison de bambou.
Le gentleman de Hong-kong.
Le grand vent vient du large.
La Tunique Chinoise.
Le Caniche et moi.

ANN et GWEN

Je ne peux pas l'aimer.

Emil ANTON

Esperanza.
Les baisers perdus.
Après la Tourmente.
Le Sortilège Mexicain.
Vous, ma Bien-Aimée.

Elisabeth BONTEMPS

L'Amour sans écho.
Le Seigneur du désert.

Ginette BRIANT

Le diamant de
lady Katherine.

L'Orchidée noire.
Je renaîtrai pour toi.
L'Amour sur les chemins.
Tu es ma lumière.
Un amour en jeu.

Simone CAUX

Victoire sur la Nuit.

Suzanne CLAUSSE

L'angoissante énigme.
La Rive interdite.
Le Serment passionné.
Ce rêve que tu pleures.
(en réimpression)
Tout n'était pas mensonge.
Les fruits de l'illusion.
Angelusia.
Par un très long chemin.
Mayola.
Pour un tel Amour.
L'Anneau de Solitude.
La Barcarolle aux Jonquilles.
La Passagère de l'Aube.
Celui qu'elle épouse.

Lise de CERE

Fantôme des Solitudes.
Le Cyclone.
Des ombres sur l'Amour.
Sylvande aux yeux tristes.

Magda CONTINO

Mystère à Lima.
Une difficile conquête.
Un lourd Secret.
Pivoine de Picpus.

Deux roses Boulevard
   Saint-Germain.
Capucines des Champs-
   Elysées.
Orchidée de Passy.
Plus fragile que le Cristal.
Sursis pour un Amour.
Cœur pour Cœur.
La Juvénile Vagabonde.
Le Tendre Ennemi.
Quand ses yeux me
   regardent.
La Haine aux yeux tendres.

CHRISTOPHE
Signe de Bonheur.
L'Ondine aux Souliers de
   neige.
Le Printemps Solitaire.
La Belle aux Cheveux d'or.
Le Grand Paon de Nuit.

Claude DEGEA
Lune de neige.

Georges DEJEAN
Iris, ô mon Amour.

Roger DUGENY
   (prix du roman
   populaire 69)
L'Eblouissement.
Le Fantôme.
La Dame de Londres.

DETY
Tu n'en aimeras qu'un.

Mireille ESTOUBLON
Même si tout s'écroule.

Claude FAYET
Pour sauver Anne.
Le mouchoir bleu.

FRANCE-MAURICE
Amour et Sortilège.
Comme Chien et Chat.
La Terre des Sept Couleurs.
L'Arche de Noé.

Alex JARDINE
Ombre sur Hartfield.

LORENA
Le Masque et l'Amour.
Le Seigneur Sauvage.
Vous êtes ma Prisonnière.

Hélène MARVAL
La fin des Jeux.
Noces de Cendres.
L'Ange du Remords.
La Maison des Maléfices.

Alex MARODON
Jasmine de Birkadem.
Les fruits du printemps.

Clarence MAY
Conquérir son bonheur.
Le Maître de Dunsay.
Carola.
Le Signe de Kali.
Le Voleur d'icônes.

Château de Sable.
Le Chant des Exilés.
La route sans Lumière.

Claude MORVAN
La Main du Destin.
Le Chant de la Forêt.
Le Sacrifice d'un amour.

Christine MARQUIS
Lettre à un amour perdu.

Nelly BRIGITTA
Les moissons de l'amour.
Le secret des orchidées.

Georgette PAUL
Neiges.
Ange ou Sorcière ?
Une lumière dans la nuit.
Femme au Fantôme.
Le Diable bleu.
Trois cadres vides.
Un Soir elle apparut.
Le Pacte Brisé.
Vint un Passant.
Toi... mon Espoir.
L'invitée du Destin.

Michel PERRY
Le Passé interdit.

Denise RENAUD
Le vent du Malin.
Belles et lui.

Liliane ROBIN
La Maison sur la Colline.
Amours en péril.

Pierrette SARTIN
D'Amour et de Colère.

SAINT-BRAY
Passionnément.
Carrefour des Epaves.
Trop Belle Patricia.
Il faut toujours choisir.
Je vous attends.
La Folle Equipée.
On ne sait jamais.

Flora SAINT-GIL
La Muraille de Pluie.
Tahiti, mon cœur et toi.
Vent de Folie sous les
    Tropiques.
La Nuit sans Etoiles.
L'invisible présence.

France de SAINT-QUENTIN
La Magicienne.
L'Enjoleuse.

Jean de SECARY
Cristobal.
Le Berbère aux yeux clairs.

Hélène SIMART
Piège pour un Amour.
Ma vie commence avec toi.
La Perle de Sitra.

Marguerite THIEBOLD
La Robe écarlate.

Imprimé en France - IMPRIMERIE GRAMA. NEVERS
—— Dépôt légal : 3e trimestre 1975 - No 5219 ——